J'en veux encore !

For Corentin, Timothée, Tanguy and Victoire, with all my love.

Trish Deseine

J'en veux encore !

Photographies : Sylvain Thomas

stylisme : Trish Deseine

MARABOUT

Ceci n'est pas un livre de cuisine pour les enfants...

...mais pour ceux qui les nourrissent. Les mamans, évidemment, mais aussi les papas, les nounous, les grands-parents et les parents d'amis qui peuplent leur vie, font les courses, gèrent leur emploi de temps et se retrouvent responsables de leurs petits ventres.

Dans ses pages, nourrir les 4-12 ans n'est pas transformé en loisir créatif. La cuisine est une partie de notre vie si importante que son apprentissage ne doit plus être cantonné aux séances gâteaux du mercredi après-midi. Vous n'y trouverez aucune souris au corps de riz au lait, aux yeux en raisins de Corinthe et à la queue en zeste d'oranges, pas plus que de pizza décorée de tête de nounours gnangnan.

Vous y trouverez, en revanche, de nombreuses recettes d'une très grande simplicité que les plus grands pourront réaliser tout seuls, ainsi que des suggestions de moments où tous pourront aider en cuisine d'une façon naturelle et spontanée. Mais ce sont surtout des idées organisées autour de NOS humeurs et de NOS contraintes d'adultes.

Nous cuisinons comme nous vivons. En semaine, nous manquons de temps ; la préparation du repas du soir est souvent vécue comme une corvée. En fin de semaine ou en vacances – au contraire – le temps n'est plus compté : la cuisine devient tout à coup une activité presque culturelle. Nous éprouvons un plaisir intense à faire le marché, à découvrir de nouveaux ingrédients, à inventer des plats et à retrouver une ambiance sereine de partage.

Et puis, de temps en temps, c'est la fête. On se fait plaisir et on fait plaisir à ceux qui nous entourent. Goûters d'anniversaire, fêtes entre copains, gâteaux à confectionner pour l'école : la cuisine devient ludique, théâtrale, excessive et... souvent très sucrée ! Cette façon de cuisiner, même si elle doit être réservée à des moments exceptionnel est aussi nécessaire que les autres. Elle évitera les sentiments de manque et de frustration qui peuvent se transformer plus tard en mauvaises habitudes.

« J'en veux encore ! » Une collection de recettes et d'idées réalistes, faciles, variées, créatives et, je l'espère, amusantes. Car, même s'il ne faut plus jouer avec la nourriture, rien ne doit nous empêcher de nous faire plaisir lorsque nous cuisinons !

J'ai le temps

...de cuisiner, évidemment. Pour réaliser les recettes de ce chapitre ; aucune limite de temps !

Certaines exigent du temps car leurs ingrédients sont plus rares sur le marché ou chez les commerçants. Impossible de faire le plein à cent à l'heure dans les rayons du supermarché.

Ces plats réclament surtout que les enfants prennent le temps d'essayer, de goûter, de découvrir de nouvelles combinaisons et associations. À nous aussi de nous donner le temps de leur expliquer la recette, de les laisser nous aider à la réaliser puis de passer ensemble un bon moment à table.

Crème de laitue aux petits pois chaude ou froide

Pour 4 personnes
1 heure 30 de cuisson, bouillon compris

Pour le bouillon
30 g de beurre
500 g de carottes épluchées et coupées en rondelles
4 branches de céleri avec leurs feuilles hachées
500 g d'oignons hachés
2 litres d'eau froide
1 bouquet garni

200 g de cœurs de laitue ou de sucrine hachés
15 cl de crème fleurette fraîche
sel, poivre
150 g de petits pois frais à peine cuits
à la vapeur ou à l'eau bouillante

Faites fondre le beurre dans une grande casserole.
Cuisez doucement les légumes sans les colorer.
Ajoutez l'eau et le bouquet garni puis portez
à ébullition. Laissez mijoter à feu doux
pendant 1 heure au moins. Passez
le bouillon au chinois. Vous devriez en
obtenir environ 1 litre.

Portez ce bouillon à ébullition
et pochez la laitue pendant
10 à 15 minutes.
Lorsqu'elle est fondante,
mixez-la, ajoutez la crème,
le sel et le poivre
puis les petits pois.

Servez chaude.
ou froide

Salade de figues au saumon fumé

Juste une façon de servir les figues en saison qui change de l'éternel jambon cru.

Pour 4 personnes
2 minutes de préparation

4 belles figues bien mûres
4 tranches de saumon fumé bio

Coupez les figues en quatre puis servez-les avec les tranches de saumon fumé et du pain aux céréales grillé.

Salade de poires grillées et séchées au thon fumé

Pour 4 personnes
5 minutes de préparation

1 belle poire coupée en tranches
4 poires séchées
100 g de thon fumé

Faites griller les tranches de poire sur une grille.

Servez tiède avec les poires séchées et les tranches de thon fumé.

Le carpaccio de Coco, frites au four

Un plat que mon fils aîné adore préparer pour lui-même et pour toute la famille. Une bonne façon de démontrer qu'en découpant la viande différemment cela peut changer complètement sa dégustation.

Les frites cuites au four sont moins grasses qu'à la friteuse. Vous pouvez aussi découper des carottes, des patates douces et du céleri-rave puis les faire cuire en mélangeant aux pommes de terre.

Pour 4 personnes
20 minutes de préparation
25 minutes de cuisson

500 g de pommes de terre épluchées et taillées
en grosses frites
une bonne huile d'olive
300 g de carpaccio (bœuf, veau)
jus de citron
parmesan
basilic frais
fleur de sel
poivre

Préchauffez le four à 190 °C et faites rôtir les pommes de terre arrosées d'huile d'olive pendant 20 à 25 minutes en les tournant régulièrement.

Disposez la viande sur les assiettes puis garnissez de jus de citron, de copeaux de parmesan, de basilic, de fleur de sel et de poivre.

Prawn cakes

Pour 4 personnes
10 minutes de préparation
5 minutes de cuisson

1 oignon nouveau
1 petite gousse d'ail
les zestes et le jus de 2 citrons verts
1 pincée de sucre
1 cuiller à soupe de coriandre fraîche
350 g de crevettes décortiquées crues
2 cuillers à soupe de farine
2 cuillers à soupe d'huile de tournesol

Placez tous les ingrédients, à l'exception de l'huile, dans un mini-hachoir ou un robot puis réduisez en pâte pas trop fine pour conserver un peu de texture.

Sur une surface légèrement farinée, confectionnez de petites galettes avec le mélange aux crevettes.

Chauffez l'huile dans une poêle et faites dorer les galettes aux crevettes quelques minutes de chaque côté.

Servez avec de la sauce aigre-douce ou du sweet chili pour dipper, des mange-tout aux cacahuètes, du riz ou des nouilles thaïes.

INDIAN OCEAN
Océan Indien

11

Potatoes à la sauce sweet chili

Pour 4 personnes
40 minutes de cuisson
10 minutes de préparation

500 g de pommes de terre
4 cuillers à soupe d'huile d'olive
1 cuiller à soupe d'épices (ras el hanout, 7 épices thaï, cumin, curry)
fleur de sel
2 à 3 cuillers à soupe de sauce sweet chili disponible au rayon
asiatique de votre supermarché

Préchauffez le four à 200 °C.

Coupez les pommes de terre, épluchées si vous le souhaitez,
en morceaux comme chez Ronald. Roulez-les dans l'huile
et les épices puis faites-les rôtir environ 40 minutes.

Parsemez de fleur de sel et servez avec la sauce sweet chili
pour dipper.

Maxi Mega Cheese

Pour 4 personnes
10 minutes de préparation
10 minutes de cuisson

4 beaux steaks hachés de chez votre boucher de 150 g chacun
100 g de gorgonzola au mascarpone
1 paquet de pains pour burgers
100 g de bon cheddar fermier coupé en tranches
2 tomates bien mûres coupées en tranches fines
ketchup Heinz
pickles américains

Chauffez votre poêle ou votre gril.

Faites griller les burgers d'un côté, retournez-les puis placez des tranches de gorgonzola sur les côtés cuits. Laissez cuire pour que le fromage fonde.

Faites griller le pain. Placez une tranche de cheddar sur le dessous grillé puis posez le burger cuit avec le gorgonzola sur le dessus.

Ajoutez la tomate, le ketchup, les pickles et le haut du pain. Servez.

Petite friture

Tout comme les mini-légumes, les enfants ont une fascination pour les petits poissons. Les miens éprouvent un plaisir un chouïa barbare à avaler ces petites bêtes en entier après les avoir regardées bien dans les yeux.

Pour 4 personnes
5 minutes de préparation
5 minutes de cuisson

400 g de friture d'éperlan (toute faite de chez Picard ou roulée dans un peu de farine salée)
fleur de sel
poivre
citron

Ketchup Maison
500 g de tomates épluchées, épépinées et hachées finement
250 g d'oignons hachés finement
500 g de poivrons rouges épépinés et hachés finement
1 gousse d'ail hachée finement
40 g de sucre
1 cuiller à soupe de moutarde de Dijon
1 cuiller à café de paprika
1 verre à vin de vinaigre
1 bonne pincée de clou de girofle en poudre

Cuisez les légumes du ketchup dans l'huile pendant 45 minutes jusqu'à ce qu'ils soient complètement fondus.

Passez au chinois afin d'ôter tous les pépins. Remettez dans la casserole, ajoutez les autres ingrédients du ketchup et laissez mijoter 1 heure.

Laissez refroidir puis mettez en pot. La préparation se conservera 15 jours au réfrigérateur.

Dans une friteuse, faites dorer la friture pendant 3 minutes environ (consultez l'emballage si elle est surgelée).

Assaisonnez et servez bien chaud avec de la fleur de sel, du poivre, du ketchup et du citron.

Piperade

Il existe une vaste polémique autour des variations de ce plat. Cette version très simple, sans poivrons lambdas, profite de la mode des piquillos basques, plus faciles à trouver, même en grande surface.
Si les enfants aiment que ça pique, faites comme là-bas et ajoutez une bonne pincée de piment d'Espelette.

Pour 4 personnes
10 minutes de préparation
30 minutes de cuisson

huile d'olive
5 belles tomates bien mûres, épluchées et épépinées
1 oignon rouge haché finement
1 pot de 400 g de piquillos Basque égouttés et taillés en lamelles
1 gousse d'ail hachée finement
1 feuille de laurier
1 pincée de thym en poudre
1 pincée de piment d'Espelette (facultatif)
sel, poivre
1 cuiller à café de sucre
8 œufs
15 cl de crème fleurette fraîche
4 belles tranches de jambon de Bayonne

Faites chauffer un peu d'huile dans une grande poêle puis cuisez les légumes avec l'assaisonnement et le sucre jusqu'à ce qu'ils deviennent très fondants, presque réduits en purée.

Battez les œufs avec la crème. Cuisez-les soit directement dans les légumes, soit comme des œufs brouillés classiques.

Servez les œufs et les légumes, séparément ou mélangés, avec les tranches de jambon poêlées.

Tortillas au chili

Pour 4 personnes
5 minutes de préparation

5 tortillas à la farine
8 cuillers à soupe de chili
2 tomates épépinées coupées en tout petits dés
1 avocat coupé en tout petits dés
1 cuiller à café de citron

Faites chauffer les tortillas dans une poêle. Remplissez-les de chili, enroulez-les puis garnissez de tomate et d'avocat, additionné de jus de citron afin qu'il ne noircisse pas.

Chili

Le plat familial par excellence. Si vous craignez les plats épicés, allez-y doucement sur le piment…

Pour 8 personnes
15 minutes de préparation
2 heures de cuisson

1 grand faitout
1 poêle

Les légumes
2 courgettes coupées grossièrement
2 grands poivrons rouges coupés grossièrement
1 poivron jaune (si possible) coupé grossièrement
huile d'olive

La viande
1,5 kg de steak haché
3 cuillers à soupe d'huile d'olive
2 oignons hachés
4 gousses d'ail hachées
2 carottes coupées en morceaux
1 cuiller à soupe de cumin
1 cuiller à soupe d'origan
1 boîte de tomates en morceaux (pulpe de tomate)
1 petite boîte de concentré de tomates
1 cuiller à soupe de sucre
1 litre de bouillon de bœuf
2 cuillers à soupe de bonne poudre de chili
1/2 cuiller à café de piment de Cayenne
2 cuillers à café de poivre
1 cuiller à café de sel
1 grosse boîte de haricots rouges
crème fraîche
persil

Faites revenir rapidement les légumes dans l'huile d'olive. Réservez.

Faites chauffer l'huile dans un grand faitout. Ajoutez les oignons, les carottes, le cumin, l'origan et l'ail. Faites cuire à feu moyen pendant 5 minutes.

Augmentez la chaleur, ajoutez la viande et faites-la revenir. Attention, il faut qu'elle saisisse et brunisse. Réalisez l'opération en plusieurs fois si nécessaire.

Ajoutez le bouillon, le concentré de tomates, la boîte de tomates, le piment, le chili, le sucre, du sel et du poivre. Laissez mijoter sans couvercle pendant environ 1 heure.

Lorsque le chili s'est épaissi, ajoutez les légumes revenus, les haricots rouges et le persil, couvrez et laissez cuire encore 10 minutes.

Juste avant de servir, ajoutez 1 cuiller de crème fraîche. Servez avec des tortillas chaudes, de la crème fraîche, de la salade et du cheddar râpé.

Jambon purée d'enfer

Pour 4 personnes
10 minutes de préparation
25 minutes de cuisson

500 g de pommes de terre épluchées et coupées en morceaux
1 litre de lait entier
15 cl de crème fleurette fraîche ou de crème fraîche
40 g de très bon beurre (cru, de barrette à la fleur de sel, bio, etc.)
fleur de sel, poivre
4 jaunes d'œufs
4 belles tranches de jambon à l'os de chez votre charcutier

Pochez les pommes de terre dans le lait. Égouttez-les,
ajoutez la crème et le beurre puis assaisonnez.
Préparez une purée avec un presse-purée manuel.

Dans chaque assiette, creusez un volcan dans la purée
et placez un jaune d'œuf sur le dessus. Roulez la tranche
de jambon et servez à côté du cratère.

Koftas au charmoula

Pour 4 personnes
20 minutes de préparation
10 minutes de cuisson

400 g de bœuf ou d'agneau haché
1 cuiller à café de cumin
2 petits oignons hachés
sel, poivre
1 cuiller à soupe d'huile d'olive

Pour le charmoula
1 cuiller à soupe de coriandre hachée
1 cuiller à soupe de persil plat haché
1 gousse d'ail hachée très finement
1 cuiller à soupe de citron confit haché très finement
2 cuillers à soupe d'huile d'olive
fleur de sel, poivre noir

Mélangez la viande, le cumin et l'oignon haché. Assaisonnez bien avec le sel et le poivre.

Confectionnez de petites boules avec les mains et faites-les dorer à la poêle dans l'huile chaude.

Mélangez tous les ingrédients du charmoula et servez avec la viande.

Râbles de lapin au Boursin

Pour 4 personnes
5 minutes de préparation
1 heure de cuisson

2 échalotes hachées finement
huile d'olive
4 râbles de lapin
15 cl de vin blanc
sel, poivre
75 g de Boursin
10 cl de crème fleurette fraîche

Préchauffez le four à 180 °C.

Dans une cocotte, faites revenir les échalotes dans l'huile puis faites dorer le lapin sur toute sa surface. Mouillez avec le vin, ajoutez de l'eau pour couvrir le lapin, du sel et du poivre puis portez à ébullition.

Enfournez pendant 1 heure environ.

Sortez du four et faites fondre le Boursin dans le jus de cuisson. Ajoutez la crème, assaisonnez et servez avec des pâtes.

Rôti de porc, mash de céleri-rave et pommes, sauce aux airelles

Pour 6 personnes
15 minutes de préparation
1 heure 15 de cuisson

1 beau rôti de porc de chez votre charcutier d'1 kg environ
huile d'olive
fleur de sel, poivre
1 céleri-rave
4 pommes boskoop
15 cl de crème fraîche
40 g de beurre
300 g d'airelles fraîches
3 cuillers à soupe de sucre en poudre

Préchauffez votre four à 180 °C.

Enduisez le rôti d'huile. Salez et poivrez. Posez-le dans un plat à rôtir et enfournez pendant 1 heure 15 environ. Arrosez souvent la viande. Lorsqu'elle est cuite, sortez-la du four et laissez-la reposer 10 minutes avant de la découper.

Pendant la cuisson du rôti, épluchez le céleri-rave et faites-le cuire dans l'eau bouillante salée pendant environ 20 minutes.

Ajoutez les pommes pendant les dernières minutes de cuisson.

Égouttez, ajoutez la crème et le beurre puis réduisez en purée.

Faites pocher les airelles dans une faible quantité d'eau chaude jusqu'à ce qu'elles soient bien fondantes. Ajoutez le sucre et faites-le dissoudre.

Découpez des tranches de porc et servez avec le mash et la sauce aux airelles.

Ribs à s'en lécher les babines

Comme le chili, un plat idéal pour adultes et enfants, qui se mange avec les doigts.

Pour 6 personnes
20 minutes de préparation
4 à 5 heures pour la marinade
2 heures de cuisson

1 plat à rôtir
1,5 kg de ribs

Pour la marinade
2 échalotes hachées finement
1 gousse d'ail
3 cuillers à soupe de vinaigre de riz
2 cuillers à soupe d'huile d'olive
5 cuillers à soupe de sauce Hoisin (sauce barbecue chinoise en bouteille, au rayon exotique de votre supermarché ou chez votre épicier habituel)
4 cuillers à soupe d'eau
1 cuiller à soupe de sauce soja
poivre blanc
1/2 piment rouge finement haché (facultatif)

Préparez la marinade directement dans le plat à rôtir. Enduisez les côtes sur tous les côtés, couvrez le plat avec du film alimentaire et laissez mariner 4 ou 5 heures, en tournant de temps à autre, au frais. Préchauffez le four à 140 °C. Enfournez les ribs pendant 2 heures à 2 heures 1/2, en les tournant de temps en temps si vous y pensez. Servez avec du riz et trois tonnes de serviettes en papier.

Cordon bleu de cordon bleu

Pour ne plus jamais acheter les imitations du rayon « traître », fabriquées à base de viande prémâchée reconstituée au goût de plastique super salé. Une très bonne recette pour faire participer les petits mangeurs. Ne vous éternisez pas pour autant sur l'élevage de la bête. Ils préféreront ignorer que leur dîner a meilleur goût parce que le veau a été arraché au flanc de sa maman plutôt qu'élevé dans une cage.

Pour 4 personnes
10 minutes de préparation
5 minutes de cuisson

4 belles escalopes de veau élevé sous la mère
3 à 4 cuillers à soupe de farine étalée dans une assiette avec 1 pincée de fleur de sel et de poivre
50 g de beurre
2 à 3 cuillers à soupe d'huile d'olive
100 g de parmeggiano reggiano râpé
1 poignée de tomates confites
fleur de sel, poivre
1 citron

Sur une planche à découper, étalez une escalope puis couvrez-la de film plastique.

Avec un attendrisseur à viande (ou un rouleau à pâtisserie) et l'aide des mangeurs (ils adorent ça), aplatissez l'escalope le plus possible. Répétez l'opération avec les autres escalopes.

Pressez les deux côtés des escalopes dans la farine pour qu'elles soient bien enrobées.

Chauffez une poêle et placez-y une noix de beurre avec un peu d'huile d'olive. Lorsque le beurre « chante » (faites écouter les loulous), placez-y 1 ou 2 escalopes et faites-les dorer quelques minutes.

Retournez l'escalope puis mettez le parmesan et les tomates sur le côté doré. Pliez l'escalope et terminez la cuisson en appuyant sur la viande pour que le parmesan fonde bien. Retournez-la délicatement encore une fois si nécessaire. Assaisonnez et servez immédiatement avec un peu de jus de citron.

Le sauté de veau avec ou sans olives de Marie

Parfait plat de week-end, il plaît à tout le monde, parfume agréablement la cuisine et vous laisse des heures de « quality time » avec les enfants.

Pour 6 personnes
1 heure 30 de cuisson
10 minutes de préparation

2 cuillers à soupe d'huile d'olive
3 échalotes épluchées et hachées finement
3 carottes épluchées coupées en rondelles
1 kg d'épaule de veau coupée en morceaux
sel, poivre
1 pot d'olives vertes dénoyautées égouttées

Préchauffez le four à 180 °C.

Dans une cocotte en fonte, faites chauffer l'huile puis faites-y revenir les échalotes et les carottes. Ajoutez la viande et faites-la dorer sur toute sa surface.

Versez 1 litre d'eau dans la cocotte, remuez bien tous les ingrédients, ajoutez un peu de sel et de poivre puis portez à ébullition. Enfournez la cocotte et faites cuire 1 heure 30 environ.

Ajoutez les olives. Servez avec un mash à l'huile d'olive ou de la polenta, sans vous énerver si la moitié des olives restent sur le côté des assiettes.

Rôti de bœuf, frites de patate douces

Pour 6 personnes
40 minutes de cuisson
10 minutes de préparation

1 rôti de bœuf d'1 kg environ, top qualité du meilleur boucher du coin
3 à 4 cuillers à soupe d'huile d'olive
800 g de patates douces épluchées et taillées en frites
fleur de sel, poivre
1 oignon

Préchauffez votre four à 200 °C. Placez la viande dans un plat
allant au four et enduisez-la d'huile d'olive. Enfournez et cuisez
25 à 30 minutes.

Sortez la viande et laissez-la reposer 10 à 15 minutes.

Pendant ce temps, faites chauffer de l'huile dans une poêle
et faites frire les patates douces 4 à 5 minutes jusqu'à
ce qu'elles soient bien dorées. Égouttez-les sur du papier
absorbant, assaisonnez et servez avec des tranches de rôti.

La vrai sauce bolognaise

Pour 4 à 6 personnes
15 minutes de préparation
1 heure 1/2 de cuisson
1 grande sauteuse

500 g de bœuf haché
150 g de poitrine salée coupée en lardons
2 carottes coupées en rondelles
2 oignons finement hachés
2 branches de céleri coupées en morceaux
1 gousse d'ail
225 g de passata de tomates
1 boîte de 400 g de tomates
10 cl de bouillon de bœuf
10 cl de vin rouge
20 g de beurre
sel et poivre

Dans la sauteuse, faites revenir les lardons, les oignons,
les carottes, le céleri et l'ail dans du beurre. Lorsque
les légumes sont fondants et un peu dorés, augmentez
la chaleur et faites saisir la viande petit à petit. Versez
la passata, les tomates, le vin et le bouillon et laissez mijoter
pendant environ 1 heure jusqu'à ce que la sauce soit bien
épaisse. Rajoutez encore un peu de bouillon si elle se
dessèche.

Servez avec des pâtes fraîches et du parmesan râpé.

Bœuf épicé, houmous, pignons et mini-courgettes multicolores

Adapté d'un plat du restaurant Moro à Londres, ce mélange de goûts, de textures et de couleurs plaît bien à mes enfants. Il fait partie de ce chapitre car vous aurez peut-être du mal à trouver les mini courgettes et le houmous à la supérette du coin.

Pour 4 personnes
5 minutes de préparation
10 minutes de cuisson

2 cuillers à soupe d'huile d'olive
1 gousse d'ail épluchée et hachée finement
2 échalotes épluchées et hachées finement
500 g de bœuf haché top qualité du meilleur boucher du quartier
sel, poivre
1 cuiller à café de cumin
1 cuiller à café de muscade
1 dizaine de mini-courgettes de couleurs différentes épluchées
4 cuillers à soupe de houmous
1 dizaine de tomates cocktail coupées en deux
30 g de pignons grillés
quelques brins de coriandre fraîche

Chauffez l'huile dans une poêle et faites-y revenir l'ail et les échalotes. Ajoutez le bœuf en l'émiettant le plus possible au fond de la poêle. Faites frire la viande à feu vif jusqu'à ce qu'elle soit croustillante. Lorsqu'elle est cuite, ajoutez du sel et du poivre, le cumin et la muscade. Remuez bien puis réservez.

Faites cuire les courgettes seulement quelques minutes dans l'eau bouillante salée. Égouttez.

Dressez les assiettes en posant 1 cuillerée de houmous sur les courgettes mélangées aux tomates puis coiffez le tout de bœuf épicé et de pignons.

Irish stew

Un des plats nationaux irlandais : de l'agneau mijoté avec des pommes de terre, des oignons, du persil et du thym, tout simplement. La version grand luxe incorpore des carottes et parfois même des poireaux.

Pour 4 à 6 personnes
10 minutes de préparation
2 heures de cuisson

1 cocotte

750 g de collier d'agneau
2 oignons tranchés en fines rondelles
500 g de pommes de terre fermes, tranchées en fines rondelles
1 cuiller à soupe de persil
1 cuiller à soupe de thym
Sel et poivre

Préchauffez le four à 170 °C. Placez dans la cocotte des couches alternées de pommes de terre, d'agneau, d'oignons et d'herbes. Finissez par une couche de pommes de terre et appuyez légèrement pour bien tasser le tout. Versez 30 cl d'eau, salez, poivrez. Posez le couvercle et enfournez pendant 2 heures environ.

Tortilla aux oignons rouges

Pour 4 personnes
10 minutes de préparation
30 minutes de cuisson

2 cuillers à soupe d'huile d'olive
2 oignons rouges hachés
500 g de pommes de terre cuites coupées en rondelles
6 œufs battus avec 10 cl de crème fleurette fraîche
fleur de sel, poivre

Faites chauffer l'huile dans une poêle et faites-y revenir les oignons jusqu'à ce qu'ils soient fondants. Ajoutez les pommes de terre et laissez cuire encore quelques minutes, sans casser les rondelles.

Versez les œufs, assaisonnez de fleur de sel et de poivre puis cuisez très doucement.

Retournez la tortilla sur une assiette et servez tiède.

Canard laqué à la marmelade

Pour 6 à 8 personnes
1 heure de cuisson
5 minutes de préparation

1 beau canard
3 cuillers à soupe de marmelade d'orange
huile d'olive, fleur de sel, poivre

Préchauffez votre four à 190 °C. Si possible, sortez la bête
du réfrigérateur 30 minutes avant de l'enfourner.

Dans un bol, mélangez la marmelade avec 1 cuiller à soupe
d'huile d'olive et un peu de fleur de sel.

Placez le canard au four. Après 30 minutes de cuisson,
sortez-le, ôtez le gras fondu, badigeonnez le canard
de mélange marmelade-huile et remettez-le au four
30 minutes de plus.

En fin de cuisson, ôtez le canard de son plat de cuisson.
Récupérez le jus de l'intérieur de la bête. Laissez le canard
reposer quelques minutes sur la planche à découper.

Enlevez un maximum de graisse puis mettez 1 cuillère
à soupe de marmelade dans le plat pour le déglacer,
en grattant bien tous les sucs collés.

Servez avec du riz basmati et des crackers chinois.

Saumon laqué

Pour 4 personnes
10 minutes de préparation
5 à 8 minutes de cuisson

2 cuillers à soupe de miel liquide
1 cuiller à soupe d'huile d'olive
1 cuiller à soupe de sauce soja
4 pavés de saumon sans la peau

Mélangez le miel, l'huile et la sauce soja.
Enduisez le saumon.

Posez les pavés sur une plaque allant au four et passez-les
sous le gril pendant 5 à 8 minutes jusqu'à ce qu'ils soient
bien dorés.

Servez avec du riz basmati ou des pommes de terre
écrasées avec du lait de coco.

Poulet Korma

Une bonne façon d'introduire le goût des épices.
J'ai volontairement ôté le piment de cette recette
et suggéré de servir « le vert » à part pour mettre
toutes les chances de votre côté.

Pour 4 personnes
15 minutes de préparation
30 à 35 minutes de cuisson

Pour la pâte
1 oignon haché finement
2 gousses d'ail
1/2 cuiller à café de curcuma
1/2 cuiller à café de cumin
1/2 cuiller à café de cardamome
1/2 cuiller à café de cannelle
1/2 cuiller à café de graines de coriandre
1 morceau de gingembre de la taille du pouce
50 g de noix de cajou

2 cuillers à soupe d'huile d'olive
4 blancs de poulet coupés en bouchées
40 cl de lait de coco
au choix, pour la garniture : coriandre fraîche, raisins, amandes
et noix de cajou émondées, mangue fraîche coupée en dès

Mixez tous les ingrédients de la pâte dans un mini-hachoir
ou un robot.

Faites chauffer l'huile dans une poêle et faites-y cuire tout
doucement la pâte pendant 3 à 4 minutes.

Ajoutez les morceaux de poulet et faites revenir
4 à 5 minutes de plus.

Versez le lait de coco dans la poêle avec un peu d'eau,
remuez bien et laissez mijoter pendant 15 minutes.

Servez avec les garnitures présentées à part dans
de petits bols, du riz basmati et des naans.

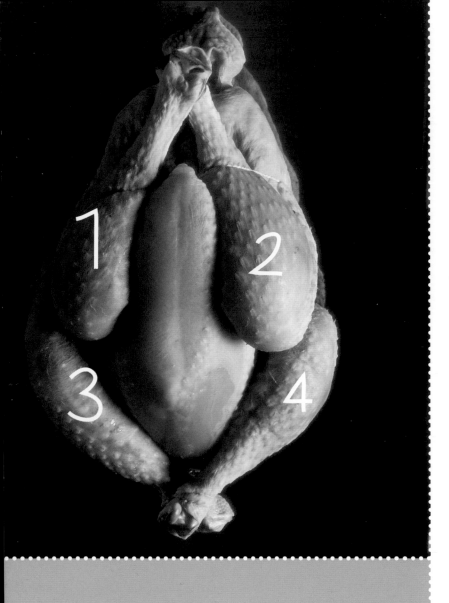

Poulet laqué aux agrumes

Pour 4 personnes
5 minutes de préparation
10 minutes de cuisson

2 cuillers à soupe d'huile d'olive
1 échalote hachée très finement
4 filets de poulet taillés en lamelles
2 cuillers à soupe de sauce soja
2 cuillers à soupe de miel liquide
le jus d'1 orange et d'1 citron
fleur de sel, poivre

Faites chauffer l'huile dans une poêle et faites revenir doucement l'échalote puis le poulet.

Mélangez la sauce soja, le miel et les jus de fruits. Chauffez doucement pour mieux intégrer le miel si nécessaire.

Versez sur le poulet et cuisez 7 à 8 minutes. Le jus de cuisson va réduire et laquer délicieusement le poulet.

Servez avec du riz basmati.

Poulet aux 4 Pattes

Proche cousin du mouton à 5 pattes, cette bête vous aidera à surmonter l'éternel problème qui se pose quand le nombre de convives dépasse le nombre de cuisses désirées lors du découpage du poulet.

Il se cuisine exactement comme un poulet normal. Le plus difficile reste de trouver un boucher qui ne vous prend pas pour un demeuré lorsque vous lui demandez de vous le préparer.

J'ai des adresses…

Corn on the cob

D'accord, neuf fois sur dix, les épis de maïs
de la maison sont de chez M. Picard et cuisent au
micro-ondes. Ils sont tout de même meilleurs frais,
en saison, avec 3 tonnes de beurre salé.

Pour 4 personnes
5 minutes de cuisson
3 minutes de préparation

4 épis de maïs
3 tonnes de bon beurre salé
1 douzaine de serviettes en papier
4 brosses à dents pour le nettoyage après dégustation

Plongez les épis dans une grande casserole d'eau salée
portée à ébullition.

Faites cuire 4 à 5 minutes puis laissez refroidir quelques
minutes avant de servir avec le beurre.

Desserts faits maison

Chez moi, en semaine, sur les conseils de mon pédiatre adoré, le Docteur V, à la sagesse bienveillante d'un Gandalf ou d'un Dumbledore, les desserts se résument aux yaourts et aux fruits frais.

Le week-end venu, ou lorsqu'une occasion spéciale se présente, j'aime bien soigner le repas du début à la fin.

Voici le Top Ten actuel de mes sugababes :

Tarte au citron et framboises

Un joli dessert entièrement réalisable par des enfants à partir de 7 ou 8 ans.

Pour 4 personnes
10 minutes de préparation
1 heure de refroidissement

10 à 15 biscuits sablés
50 g de beurre salé fondu
1 pot de lemon curd
200 g de framboises fraîches

Dans un saladier, écrasez les biscuits puis rajoutez le beurre fondu.

Pressez les miettes de biscuits au fond de 4 cercles (ou des emporte-pièce, ou même des moules à muffin) et laissez durcir au réfrigérateur pendant environ 1 heure.

Démoulez, étalez du lemon curd sur chaque base biscuitée puis décorez de framboises et de sucre glace.

Gâteau aux 5 doigts

Très simple, sans cuisson, avec beaucoup d'étapes réalisables avec l'aide des enfants. Profitez des innovations des hommes et des femmes du marketing alimentaire. Il faut les encourager et les soutenir à chaque fois qu'ils s'abstiennent de nous coller bêtement des personnages de dessins animés dans les bâtonnets de poisson ou sur les pots de petits-suisses.

Pour 8 à 10 personnes
20 minutes de préparation
2 heures de refroidissement

1 moule à gâteau à fond amovible

1 paquet de chaque sorte de Fingers (caramel, giant, mini, classic, lait, blanc)
50 g de beurre salé.
20 cl de crème fleurette fraîche
400 g de bon chocolat noir

Réduisez en miettes les biscuits Fingers (entre 500 et 700 g selon la taille de votre moule) en en gardant suffisamment de chaque sorte pour la décoration.

Faites fondre le beurre et mélangez-le bien aux miettes de biscuits. Pressez le mélange au fond du moule avec les doigts et placez au réfrigérateur afin qu'il durcisse.

Portez la crème fleurette à ébullition. Ajoutez le chocolat dans la crème puis remuez jusqu'à ce qu'il soit complètement fondu et la crème bien lisse et brillante.

Versez sur le fond de biscuits refroidis et laissez prendre quelques heures au réfrigérateur.

Décorez avec les gâteaux réservés.

Pommes rôties aux carambars

Pour 4 personnes
10 minutes de préparation
25 minutes de cuisson

4 belles pommes boskoop
120 g de farine
80 g de beurre
50 g de sucre
1 dizaine de carambars taillés en petits morceaux (pas facile, coupez-les dans un torchon pour éviter qu'ils ne se transforment en scuds)

Préchauffez le four à 180 °C.

Évidez les pommes.

Travaillez la farine, le beurre et le sucre jusqu'à obtention d'un mélange semblable à de la chapelure. Mélangez les morceaux de carambars au crumble et remplissez-en les pommes.

Couvrez de papier aluminium et faites cuire 15 minutes. Ôtez le papier et continuez la cuisson 10 à 15 minutes de plus.

Sortez du four, laissez refroidir un moment (la pomme et le caramel brûlent les petites langues !) et servez avec de la glace à la vanille ou de la crème fraîche.

Crêpes

Pas super, les soirées crêpes à six dans une cuisine enfumée. Le débit n'est jamais satisfaisant et le préparateur de crêpes (moi) toujours bouillant et affamé.

J'ai réussi à contourner le problème avec une machine de type multi-hyper-sympa-touche-pas-à-ma-crêpe-c'est-la-mienne-à-gauche-party.
Je parviens sans problème à imposer des œufs, du jambon, des tomates, du fromage et du saumon avant l'avalanche sucrée : les enfants sont beaucoup plus motivés lorsqu'ils cuisent les crêpes eux-mêmes.

Auparavant, si vous n'aimez pas les crêpes taille Frodon, vous pouvez vous offrir une petite séance en solitaire avec une poêle à crêpes normale. Elles se conservent et se réchauffent très bien.

Pour 4 personnes
2 minutes de préparation
30 minutes de repos

150 g de farine
3 œufs
75 cl de lait
50 g de beurre salé fondu

Mettez la farine dans un saladier. Cassez les œufs et mélangez-les à la farine afin d'obtenir une pâte assez épaisse. Ajoutez petit à petit le lait froid et le beurre fondu en battant afin d'éviter les grumeaux.

Laissez reposer la pâte 30 minutes pour des crêpes plus légères.

Gâteau de crêpes

Une sorte de Kouign Amann de crêpes. Fonctionne aussi très bien avec les paquets de crêpes du commerce si vous évitez les aromatisées, souvent trop fortes.

Pour 6 à 8 personnes

1 vingtaine de crêpes
150 g de beurre salé
4 à 5 cuillers à soupe de sucre
le jus et les zestes de 2 citrons

Montez le gâteau en étalant un peu de beurre, du sucre puis en arrosant chaque crêpe de jus de citron. Passez au four à 150 °C quelques minutes avant de servir.

Compote d'abricots, quatre-quarts grillé et yaourt grec

Pour 4 personnes
20 minutes de préparation
10 minutes de cuisson

1 dizaine d'abricots frais dénoyautés et coupés en deux
le jus de 2 oranges
1 gousse de vanille fendue
2 cuillers à soupe de sucre
4 tranches de quatre-quarts
1 petit pot de yaourt grec
2 ou 3 fines tranches d'orange non traitée

Dans une casserole, faites compoter les abricots, le jus d'orange, la vanille et le sucre en ajoutant un peu d'eau si nécessaire. Laissez tiédir.

Grillez les tranches de quatre-quarts en faisant attention à ne pas mettre le feu à votre grille-pain. Sous le gril du four, c'est mieux ! Posez-les dans les assiettes, couvrez de compote et servez avec le yaourt.

Tarte à la confiture de framboise

Avec confiture et pâte faites maison, s'il vous plaît.

Pour 6 à 8 personnes
20 minutes de préparation
2 heures de repos
30 minutes de cuisson

250 g de farine tamisée
125 g de beurre salé très froid coupé en petits dés
3 cuillers à soupe d'eau très froide
500 g de confiture de framboise
2 cuillers à soupe de sucre

Placez la farine et le beurre dans un grand saladier. Travaillez-les en les écrasant entre vos doigts afin d'obtenir un mélange semblable à de la chapelure. Ajoutez l'eau petit à petit et mélangez en écrasant pour former une boule.

Emballez-la de film transparent et placez-la au réfrigérateur pendant 2 heures.

Préchauffez votre four à 180 °C.

Étalez la pâte puis mettez-la dans un plat à tarte de 28 centimètre environ. Piquez le fond avec une fourchette en plusieurs endroits et faites cuire 10 minutes environ.

Sortez le fond de tarte, versez la confiture et enfournez 20 minutes de plus. Laissez refroidir légèrement (attention, la confiture brûle les petites langues !) avant de servir avec de la glace à la vanille ou de la crème fraîche.

Trifle aux fruits rouges

Une très bonne recette à réaliser avec les enfants pour
leur apprendre comment les textures et le goût des
aliments changent selon la température et le temps
de cuisson.

Pour 4 personnes
10 minutes de préparation
15 minutes de cuisson
quelques heures de refroidissement

125 g de framboises
2 cuillers à soupe de sucre
125 g de cerises dénoyautées coupées en deux
1 poignée de fruits rouges séchés disponibles dans les épiceries
américaines ou anglo-saxonnes
125 g de fraises coupées en tranches
1 jaune d'œuf
4 cuillers à soupe de mascarpone
4 tranches de quatre-quarts
1 grenadine

Dans une casserole, faites cuire tout doucement
les framboises quelques minutes avec 1 cuillérée de sucre.
Ajoutez les cerises et les fruits secs puis laissez mijoter jusqu'à
ce que les cerises soient fondantes et les fruits secs gonflés
de jus de cuisson. Ôtez du feu et ajoutez les fraises qui cuiront
grâce à la chaleur de la compote.

Rajoutez du sucre si nécessaire et laissez refroidir
complètement.

Battez le jaune d'œuf avec le sucre jusqu'à ce qu'il blanchisse
puis mélangez au mascarpone.

Posez les tranches de quatre-quarts au fond des coupes.
Versez la compote puis coiffez de crème au mascarpone.

Laissez reposer au réfrigérateur pendant quelques heures
avant de servir.

Glace au yaourt et miel, galettes à l'huile d'olive

Il vous faudra une turbine à glace pour réaliser cette recette. Fourchettes et tupperwares au freezer s'abstenir.

Pour 6 personnes
25 minutes de préparation

50 cl de crème anglaise, bien meilleure faite maison (voir p. 60)
3 yaourts grecs
6 galettes sucrées à l'huile d'olive (chez Olivier & Co et parfois au rayon « cuisine d'ailleurs » du supermarché)
3 à 4 cuillers à soupe de miel liquide

Versez la crème et les yaourts dans la turbine. Lorsque la glace a pris, servez des boules sur les galettes et nappez de miel.

Knickerbocker Glory aux cerises, fraises et bananes

Pour 4 personnes
20 minutes de préparation
10 minutes de cuisson

300 g de cerises dénoyautées
2 à 3 cuillers à soupe de sucre
15 cl de crème fleurette fraîche
1 cuiller à soupe de mascarpone
500 g de glace à la vanille
250 g de fraises coupées en tranches fines
2 bananes coupées en rondelles fines arrosées d'un peu de jus de citron pour éviter qu'elles ne noircissent.

Réservez quelques cerises pour la décoration. Placez les autres dans une casserole avec le sucre et laissez cuire très doucement jusqu'à obtention d'une compote. Mixez-la afin d'obtenir une sauce onctueuse. Laissez refroidir complètement.

Montez la crème fleurette en chantilly avec le mascarpone.

« Construisez » le Knickerbocker Glory en alternant couches de glace, de crème, de fraises et de bananes puis faites couler la sauce entre elles. Décorez de quelques cerises et servez.

Mangue fraîche, sauce aux framboises

Pour 4 personnes
10 minutes de préparation

2 mangues parfaitement mûres
150 g de framboises
2 à 3 cuillers à soupe de sucre glace

Coupez les mangues en deux lobes en évitant le noyau central. Taillez la chair en croisillons à l'intérieur et retournez-la délicatement pour ne pas casser la peau du fruit et le joli « hérisson ».

Faites chauffer les framboises dans une casserole et cuisez jusqu'à obtention d'un coulis. Passez au tamis pour enlever les pépins et ajoutez du sucre glace selon l'acidité des framboises. Laissez refroidir et servez avec la mangue.

Gâteau glacé au citron meringué

Pour 10 personnes
20 minutes de préparation
3 heures de refroidissement

40 cl de crème fleurette fraîche
3 cuillers à soupe de mascarpone
4 cuillers à soupe de sucre glace
le jus et les zestes de 4 citrons
2 sachets de petites meringues
6 cuillers à soupe de lemon curd

Dans un mixeur ou avec un fouet électrique, montez ensemble la crème, le mascarpone et le sucre. Incorporez le jus, les zestes de citron et un sachet de meringues écrasées grossièrement. Avec une cuiller à soupe, ajoutez le lemon curd en essayant de ne pas trop l'incorporer au mélange mais plutôt de dessiner des traînées dans la crème.

Versez dans un moule souple ou un autre récipient allant au congélateur chemisé de film alimentaire. Décorez la surface avec le reste des meringues.

Laissez prendre pendant 3 heures environ.

Ice cream home made

Glaces 2 en 1 pour les 3/4 ans

Ici, on frôle le blasphème gastronomique en imitant les recettes d'un glacier industriel avec un mélange de gâteaux achetés chez le pâtissier (ne lui dites surtout pas ce que vous comptez en faire !) et une bonne glace à la vanille.

Avec ma petite expérience-à-moi-que-j'ai, je soutiens qu'il ne faut pas mettre la barre trop haut pour les tout petits. Sinon, on transforme l'expérience en cours, comme à l'école.

À 4 ans, il existe finalement peu de gestes vraiment réalisables seul en cuisine. Ici, les enfants sont ravis à l'idée de patauger dans la glace fondue, de casser les gâteaux en morceaux, de tout mélanger comme une potion puis de transformer la mixture grâce à un tour de magie au congélo. Ils arrivent rapidement et facilement à des desserts gourmands dont ils sont très fiers.

Si la vue du carnage de gâteaux tout neufs vous est insoutenable, ou que vous ne pouvez donner que dans le totally-homemade, gardez ces idées pour les restes des desserts maison et faites votre propre glace à la vanille à partir de la recette de crème anglaise.

Idées de mélanges

tartes au citron, aux pommes, aux poires, crumbles de toutes sortes, macarons, brownies, cookies, cheesecakes, pancakes-sirop d'érable, barres chocolatées, confitures, Nutella, etc., etc.

Crème anglaise d'Armelle

Sa préparation est délicate mais, une fois la technique maîtrisée, vous pourrez régaler la terre entière. Celle d'Armelle est tellement bonne qu'elle la sert au dessert dans des verres à pied !

10 minutes de préparation
10 minutes de cuisson

25 cl de lait frais entier
25 cl de crème fleurette fraîche
1 ou 2 gousses de vanille
6 jaunes d'œufs
150 g de sucre semoule

Fendez les gousses et mettez-les dans une casserole avec le lait et la crème. Portez à ébullition. Pendant ce temps, battez les jaunes avec le sucre jusqu'à ce que le mélange blanchisse et double de volume. Versez le mélange de lait et de crème sur les œufs en mélangeant vigoureusement. Remettez le tout dans la casserole et faites chauffer en tournant sans cesse avec une cuiller en bois. En faisant très attention de ne pas porter à ébullition, faites cuire jusqu'à ce que la crème épaississe.

La trace de votre doigt sur le dos de la cuiller doit rester intacte.

Quand la crème est prête, il s'agit d'arrêter immédiatement la cuisson.

Comme elle continue même hors du feu et que le fond de la casserole cuit toujours plus vite que le reste, je verse toujours la crème dans un autre récipient, refroidi si possible, en laissant de côté le fond de la casserole. Si, par malheur, vous apercevez des grumeaux, battez très vigoureusement avec la cuiller en bois afin de les faire disparaître.

Vacherin « Oh la vache ! »

Voici le stade au-dessus. Il requiert un moule
et un minimum de dextérité car il faut aller assez vite.
À partir de 6/7 ans, c'est parfait.

**Pour 8 à 10 personnes (en principe, mais mes 4 enfants ont
liquidé celui de la photo en une seule fois)**
10 minutes de préparation
2 heures de refroidissement

1 moule à gâteau souple ou à fond amovible

50 cl de sorbet au citron vert
50 cl de sorbet mangue
50 cl de sorbet noix de coco
3 sachets de petites meringues écrasées plus quelques-unes pour
la décoration

Sortez les glaces 20 minutes avant de débuter la construction.

Commencez par une couche de meringues écrasées puis
montez en alternant les sorbets et les meringues. Décorez
de meringues entières et de quelques-unes réduites en
poudre.

Placez au congélateur pendant environ 2 heures.

Pour un maximum de gourmandise, lâchez une bombe
de chantilly au moment de servir.

Cappuccino mangue ananas

Pour 4 personnes
10 minutes de préparation

4 morceaux de mangue surgelée de chez Picard
8 cuillers à soupe d'ananas en morceaux de chez Picard
le jus de 2 citrons verts
20 cl de crème fleurette fraîche
1 cuiller à soupe de mascarpone
1 à 2 cuillers à soupe de sucre
4 boules de sorbet à la noix de coco

Laissez dégeler légèrement la mangue et l'ananas.
Placez-les encore un peu gelés avec le jus de citron vert
dans un mixeur et réduisez-les en purée. Versez dans
les verres.

Montez la crème en chantilly avec le mascarpone
et le sucre puis posez une couche épaisse sur le mélange
mangue-ananas.

Cachez les boules de sorbet dans la chantilly et servez.

64

Pommes caramel

Pour 4 personnes
2 minutes de préparation

2 pots de compote de pomme sans sucre ajouté
1/2 paquet de billes de Daim
4 boules de glace à la vanille

Faites couler la compote de pomme au fond des verres.
Placez une couche de billes de Daim puis coiffez d'une
boule de glace. Vous pouvez aussi rajouter du coulis
de caramel au beurre salé ou de la confiture de lait tiède.

Pommes caramel

Abricot popcorn

Pour 4 personnes
3 minutes de préparation

4 cuillers à soupe d'oreillons d'abricots
2 cuillers à soupe de sucre
glace au chocolat blanc ou à la vanille
4 sachets de coulis d'abricot
popcorn

Faites chauffer les abricots dégelés et le sucre dans
une casserole afin de réaliser une compote à peine cuite.
Les fruits doivent garder leur forme. Laissez refroidir.

Placez la compote dans les coupes, ajoutez la glace
à la vanille, versez le coulis sur le tout et parsemez
de popcorn.

Double Choc Sundae

Pour 4 personnes
2 minutes de préparation

4 boules de glace au chocolat
4 boules de glace à la vanille
4 meringues à la noix de coco de chez Ikea

Vous pouvez aussi faire fondre 100 grammes de chocolat
noir avec 20 grammes de beurre et 1 cuiller à soupe d'eau
pour réaliser une sauce chaude au chocolate fudge.

J'ai pas le temps

Aujourd'hui, c'est officiel : nous avons 36 minutes pour préparer le repas du soir, et souvent moins pour le déjeuner si les enfants ne sont pas inscrits à la cantine.
Tout aussi officielles, les statistiques concernant les problèmes de santé des enfants dus à leur régime alimentaire. Sont accusés les excès de sucre et de sel, le manque d'activité physique et la consommation insuffisante de fruits et de légumes.

Par manque de temps, nous sommes souvent tentés de sortir le repas tout fait en barquette du congélateur ou du réfrigérateur, de le percer trois fois et de le placer au four ou au micro-ondes. Tout aussi tentants, les desserts et les fromages décorés de têtes de héros de dessins animés faciles à faire avaler. Mais ce sont souvent des produits trop riches en sel, sucre, additifs et autres colorants et conservateurs.

Sept conseils d'experts

3 Réduisez leur consommation de chips. N'en prévoyez pas systématiquement pour les pique-niques et n'en proposez pas régulièrement au goûter.

1 Essayez de remplacer le plus souvent possible les céréales chocolatées par des flocons d'avoine, ou des céréales « neutres » (Weetabix, Rice Krispies) et des müeslis sans sucre ajouté.

4 Ne vous sentez pas obligé de servir un « vrai » dessert à chaque repas. Proposez des fruits ou un yaourt et gardez les desserts maison ou les mousses, crèmes brûlées et autres chocolats liégeois en pot pour les moments plus exceptionnels.

2 Au petit déjeuner, proposez du lait et des jus de fruits. Pour les autres repas, restez à l'eau. Les sirops et sodas seront réservés pour les « grandes occasions ».

5 Ne vous culpabilisez pas si les légumes et les fruits ne sont pas fraîchement cueillis dans votre potager ou achetés au marché le matin même. Profitez du gain de temps qu'offrent les légumes préparés surgelés. Et servir des légumes en conserve est toujours mieux que de ne pas en servir du tout !

6 Remettez Ronald à sa place. Pas question de proscrire définitivement les fast-foods : ils font eux aussi partie de la découverte gustative des enfants. Moi, je n'y ai recours que lorsque cela m'arrange (cuisine impraticable, réfrigérateur vide au départ ou de retour de voyage). Il n'y a plus de notion de « grande occasion ». Celle-là, je la réserve aux vrais « restaurants de grands ».

7 Pour respecter la règle – ce qui me semblait presque irréalisable – des 5 portions de fruits et légumes par jour, dites-vous qu'une « portion » correspond à une poignée de l'enfant qui doit l'avaler et tout ira déjà mieux. Avec un jus de fruit pressé le matin, un fruit au goûter, au déjeuner ou au dîner, un légume au déjeuner et au dîner, vous aurez rempli votre contrat.

Mon kit de survie de placard est constitué de pâtes, de riz, de polenta, de semoule, de quelques boîtes de tomates concassées, de maïs, de lentilles et de pois chiches, sans oublier un bon stock de fruits secs (abricots, poires, pruneaux et dattes). Au réfrigérateur, il y a toujours du bon parmesan ou du cheddar, du poisson fumé bio, du houmous, des tomates confites, de la crème fleurette fraîche, des œufs, du bacon ou un peu de bon jambon sec.

J'ai la chance d'habiter à deux portes d'un joli Monoprix rempli de produits d'épicerie anglaise, libanaise et japonaise, équipé en beaux rayons de poisson et de fruits et légumes.

Ouvert de 8 h 30 à 21 h 00, je considère mon Monop' adoré comme une extension de mon réfrigérateur et de mes placards. Je ne connais plus l'angoisse de l'article oublié, comme lorsque je vivais à la campagne et que je faisais « le plein » une fois par semaine.

Avec un marché magnifique à 100 mètres trois fois par semaine et un choix énorme de commerçants top qualité un tout petit peu plus loin, je suis comblée. Faire les courses « pour le frais » devient beaucoup plus rarement une contrainte.

Mais mes fonds de placard et de congélateur sont restés les mêmes.

Je suis une inconditionnelle de Picard. Enceinte, je dévorais souvent les plats préparés exotiques archigoûteux qui satisfaisaient rapidement mes envies de mélanges parfois très bizarres (style flammekueche accompagnée de sauce poulet tikka). Aujourd'hui, nourrir les bébés devenus grands est une affaire plus sérieuse et, sauf en cas d'urgence absolue, ces plats me laissent plus froide que l'intérieur des bacs blancs où ils se reposent.

En revanche, je me gèle le bout des doigts en remplissant – avec une joie immense et la conscience tranquille – les compartiments de mon congélateur de formidables ingrédients déjà préparés « gain de temps » : légumes grillés, petits pois bios, tomates en quartiers, champignons et fèves épluchées, tranches de mangue, quartiers d'agrumes, petits carrés d'agneau, carpaccio, pavés de poisson. J'embrasserais volontiers celui ou celle qui a eu la bonne idée de mettre du riz (deux sortes !) et du blé cuits en sachet.

Petit détail qui fera avancer la cause du goût : soignez l'assaisonnement. Équipez-vous de bonne fleur de sel, de poivre à mouliner, d'une huile d'olive « chic », de beurre top qualité, de citrons frais non traités et de crème fraîche labellisée. Ces investissements feront toute la différence et stimuleront les petites papilles.

Kit de survie

Eggy Toast

Chez moi, c'était le plat de la convalescence.
Si l'assiette était terminée le soir, je remettais mon
uniforme le lendemain ! Une très bonne manière
de faire manger des œufs et du lait. Gardez toujours
de grandes tranches de pain de mie au congélateur
et jouez avec des emporte-pièce pour créer des
formes rigolotes.

Pour 4 personnes
3 minutes de préparation
5 minutes de cuisson

2 œufs
20 cl de lait
30 g de beurre
4 ou 5 tranches de pain de mie
un peu de sucre

Battez légèrement les œufs avec le lait.

Faites chauffer le beurre dans une poêle.

Trempez rapidement les morceaux de pain dans
le mélange œufs-lait, égouttez et faites dorer.

Parsemez d'un peu de sucre et servez bien chaud.

Raclette on toast

Pas besoin de sortir l'appareil et de brancher
les fils. Les hommes du marketing ont gentiment
rangé de petites quantités de fromage Label Rouge
prétranché dans des barquettes qui se gardent
longtemps au réfrigérateur. Profitez-en.

Pour 4 personnes
5 minutes de préparation
3 minutes de cuisson

4 petites pommes de terre cuites à l'eau et coupées en tranches
8 à 10 tranches de viande des Grisons ou de bon jambon sec
250 g de fromage Label Rouge à raclette en tranches
4 tranches de pain de campagne
quelques feuilles de salade
cornichons

Posez des tranches chaudes de pommes de terre,
le jambon puis le fromage sur le pain.

Passez sous le gril 2 à 3 minutes jusqu'à ce que
le fromage soit bien fondu. Servez avec la salade
et des cornichons.

Cheese + Sweetcorn Toasties

Pour 4 personnes
5 minutes de préparation
3 minutes de cuisson

1 boîto do maïs
250 g de bon cheddar fermier râpé
4 tranches de pain de mie ou de campagne
50 g de beurre salé

Égouttez le maïs et mélangez-le au fromage râpé. Posez
sur le pain et passez sous le gril pendant 3 minutes
jusqu'à ce que le fromage soit bien fondu et un peu doré.

Servez avec une noix de beurre.

Pâtes aux gambas, ail et tomates

Pour 4 personnes
15 minutes de cuisson

sel, poivre
250 g de pâtes (fusilli ou similaires)
3 cuillers à soupe d'huile d'olive
2 gousses d'ail entières épluchées
1 vingtaine de gambas crues (ou surgelées)
1 vingtaine de tomates cerises

Portez une casserole d'eau à ébullition. Ajoutez une pincée de sel et faites cuire les pâtes.

Pendant ce temps, versez l'huile dans une poêle avec l'ail et faites revenir les gambas. Rajoutez les tomates. Ôtez les gousses d'ail puis mélangez les gambas et les tomates aux pâtes cuites et égouttées. Assaisonnez et servez.

Une bonne sauce tomate

Pour 6 personnes
15 minutes de préparation
25 minutes de cuisson

1 gousse d'ail
500 g de belles tomates mûres
ou 700 à 800 g de tomates en conserve
1 cuiller à soupe d'huile d'olive
1 cuiller à soupe de persil haché
1 cuiller à soupe de basilic haché
1 cuiller à café de concentré de tomates
2 cuillers à soupe de vin rouge
1 cuiller à café de sucre
Sel et poivre noir

Dans une casserole, faites revenir l'ail écrasé dans l'huile chaude pendant quelques instants, ajoutez les tomates pelées, épépinées et concassées, les herbes et le sucre. Laissez mijoter 10 minutes.

Versez le concentré de tomates et le vin. Laissez cuire encore 15 minutes.

Assaisonnez et servez sur des pâtes ou sur une viande avec du parmesan ou du pecorino râpé.

Brocolis, pignons, mascarpone

Pour 6 personnes
15 minutes de cuisson
5 minutes de préparation

200 g de pignons
2 têtes de brocolis frais
1 petit pot de mascarpone
Sel, poivre

Faites griller les pignons dans une poêle et réservez.

Cuisez les brocolis à la vapeur ou dans de l'eau bouillante.

Découpez en petites fleurettes. Mélangez aux pâtes avec la moitié des pignons et le mascarpone. Coiffez avec les pignons restants et servez immédiatement.

Pâtes au pesto rouge

Pour 4 personnes
5 minutes de préparation
15 minutes de cuisson

250 g de pâtes (spaghetti, tagliatelles)
2 cuillers à soupe de pignons de pin
2 cuillers à soupe de parmesan coupé en morceaux
1 cuiller à soupe de pâte ou de confit de tomate séchée
1 à 2 cuillers à soupe d'huile d'olive
fleur de sel, poivre

Réduisez tous les ingrédients en pâte dans un robot
ou dans un mortier.

Ajustez l'huile si le pesto est trop compact.

Portez une casserole d'eau à ébullition, ajoutez une pincée
de sel et faites cuire les pâtes.

Mélangez avec le pesto et servez.

73

Salade de riz avec ou sans olives

Un grand classique qui, chez moi en tout cas, plaît énormément avec les olives en option. Cette salade sera toujours forte en bonnes choses nutritives et faible en casseroles-égouttoir-rinçage, etc., si vous la préparez avec le riz cuit surgelé magique de chez M. Picard.

Pour 6 personnes
10 minutes de cuisson
10 minutes de préparation

1 sachet de 500 g de riz basmati cuit de chez Picard
4 tomates
4 œufs
1 boîte moyenne de maïs
1 boîte moyenne de thon au naturel
sel, poivre

Pour la vinaigrette
1 cuiller à soupe de vinaigre de vin
1 cuiller à soupe de moutarde de Dijon
4 cuillers à soupe d'huile d'olive
fleur de sel, poivre

Dans un grand saladier, faites dégeler le riz au micro-ondes.

Portez à ébullition une casserole d'eau et plongez-y les tomates 1 minute afin d'enlever leur peau. Taillez-les en petits morceaux.

Faites cuire les œufs 7 à 8 minutes, épluchez-les et laissez-les refroidir un peu avant de les couper en morceaux.

Ouvrez et égouttez les boîtes de maïs et de thon puis mélangez tous les ingrédients au riz. Assaisonnez et servez avec la vinaigrette à part.

Quatres idées pleines de bonnes choses dont les restes pourraient bien se retrouver au déjeuner pique-nique du lendemain.

Coleslaw au cheddar sans oignons

Pour 4 personnes
5 minutes de préparation

2 cuillers à soupe de mayonnaise légère
1 cuiller à soupe de crème fleurette fraîche
sel, poivre
1/2 sachet de carottes et de chou râpés
75 g de cheddar râpé
2 cuillers à soupe de raisin golden
1 orange coupée en petites tranches

Réalisez une sauce avec la mayonnaise, la crème, un peu de sel et de poivre. Mélangez aux autres ingrédients et servez.

Haricots blancs au peanut butter pour dipper

Pour 4 personnes
5 minutes de préparation

1 boîte de 400 g de haricots blancs égouttés
2 cuillers à soupe de beurre de cacahuète crunchy
le jus d'1 citron

Mixez les haricots dans un robot. Ajoutez le beurre de cacahuète, le jus de citron et un peu d'eau si nécessaire.

Servez avec des légumes croquants et des tortilla chips pour dipper.

Frittata de légumes au saumon fumé

Pour 4 personnes
10 minutes de cuisson

20 g de beurre
4 cuillers à soupe de julienne de légumes surgelée de chez Picard
5 œufs
2 cuillers à soupe de crème fleurette fraiche
poivre
2 tranches de bon saumon fumé, bio si possible, taillées en lamelles

Faites chauffer le beurre dans une poêle et faites-y revenir les légumes. Battez légèrement les œufs avec la crème, ajoutez un peu de poivre et versez sur les légumes.

Lorsque les œufs commencent à prendre, posez les lamelles de saumon et terminez la cuisson.

Salade de boulghour, ananas, noisettes et poulet fumé

Pour 4 personnes
10 minutes de préparation

8 cuillers à soupe de boulghour préparé en suivant les indications figurant sur l'emballage
3 cuillers à soupe d'ananas taillé en morceaux
2 cuillers à soupe de noisettes
300 g de poulet fumé en lamelles
huile d'olive
le jus d'1/2 citron
sel, poivre

Réunissez tous les ingrédients de la salade et assaisonnez d'huile, de jus de citron, de sel et de poivre.

Escalopes de veau aux pommes

Pour 4 personnes
5 minutes de préparation
10 minutes de cuisson environ

6 pommes boskoop
50 g de beurre
4 escalopes de veau
1 petit pot de crème fraîche
fleur de sel, poivre

Épluchez et coupez les pommes en quartiers fins.

Dans une grande poêle, faites chanter le beurre. Faites dorer les escalopes 1 minute de chaque côté puis baissez le feu, rajoutez les pommes et faites cuire 5 à 8 minutes en surveillant.

Ôtez la viande et les pommes puis réservez au chaud. Ajoutez la crème dans la poêle et remuez bien en décrochant les sucs de cuisson. Lorsqu'elle est bien chaude, assaisonnez-la, nappez la viande et servez immédiatement.

Carré d'agneau, purée à l'huile d'olive et légumes grillés au fromage de chèvre

Pour 4 personnes
5 minutes de préparation
20 minutes de cuisson

6 à 8 pommes de terre à purée épluchées
et coupées en morceaux
huile d'olive bien goûteuse
15 cl de crème fleurette fraîche
fleur de sel, poivre
2 petits carrés d'agneau de chez Picard
1/2 paquet de légumes grillés de chez Picard
1 chèvre frais

Préchauffez votre four à 220 °C.

Faites cuire les pommes de terre à l'eau puis préparez une purée avec l'huile, la crème, de la fleur de sel et du poivre.

Enfournez les carrés et faites cuire 15 à 20 minutes.

Placez les légumes sur une plaque allant au four et cuisez en même temps que la viande.

Parsemez les légumes de fromage émietté et servez avec la purée.

Blinis à la betterave, crème fraîche, saumon et aneth

Pour 4 personnes
5 minutes de préparation

250 g de saumon frais, bio si possible
50 g de betterave cuite taillée en petits morceaux
4 cuillers à soupe de crème fraîche
le zeste et le jus d'1 citron
1 cuiller à soupe d'aneth (facultatif)
fleur de sel, poivre
4 blinis

Faites cuire très légèrement le saumon à la vapeur
ou au micro-ondes.

Émiettez-le puis mélangez-le avec la betterave, la crème
fraîche, le citron et l'aneth.

Assaisonnez et servez avec les blinis chauds.

Toastie au brie, pommes granny et tomates

Pour 4 personnes
5 minutes de préparation
5 minutes de cuisson

4 tranches de pain de mie
200 g de bon brie bien mûr et goûteux coupé en tranches
1 pomme granny avec sa peau coupée en fines rondelles
2 tomates coupées en fines tranches

Superposez les ingrédients et passez sous le gril pendant
3 à 5 minutes.

Servez chaud avec du chutney à la tomate.

Patatas bravas

Pour 4 personnes
10 minutes de préparation
15 minutes de cuisson

2 cuillers à soupe d'huile d'olive
180 g de chorizo doux coupé en rondelles fines
350 g de pommes de terre épluchées et coupées en rondelles
1 oignon rouge haché finement
1 boîte de 400 g de cubes de tomates
1 pincée de piment de cayenne (facultatif)

Faites chauffer l'huile dans une poêle et faites revenir
le chorizo quelques minutes.

Ajoutez les pommes de terre et l'oignon puis poursuivez
la cuisson jusqu'à ce qu'elles soient fondantes et dorées.

Versez les tomates et le piment puis faites mijoter
15 minutes de plus jusqu'à ce que les pommes de terre
soient complètement cuites et l'eau des tomates bien
évaporée.

Aiguillettes de canard et légumes au wok aigre-doux.

Pour 4 personnes
5 à 8 minutes de cuisson

8 aiguillettes de canard
1 à 2 cuillers à soupe d'huile d'olive
1 sachet de légumes wok préparés, disponible au rayon salades
en sachet du supermarché
3 à 4 cuillers à soupe de sauce chinoise aigre douce
fleur de sel, poivre

Coupez les aiguillettes en petites bouchées.

Faites chauffer l'huile dans le wok puis jetez-y le canard
et les légumes.

Lorsque le tout commence à dorer, ajoutez la sauce
et remuez bien. Laissez caraméliser 1 à 2 minutes,
assaisonnez et servez aussitôt.

Chili aux saucisses

Pour 4 personnes
5 minutes de préparation
10 minutes de cuisson

2 cuillers à soupe d'huile d'olive
2 oignons rouges hachés finement
6 saucisses coupées en rondelles
1 boîte de tomates de 450 g
1 cuiller à soupe de purée de tomate
1 boîte de haricots rouges de 500 g
sel, poivre
1 pincée de poudre de chili
6 tacos
1 poivron rouge taillé en petits dés

Faites chauffer l'huile dans une casserole, placez-y l'oignon haché et faites revenir quelques minutes.

Ajoutez les rondelles de saucisse et faites-les revenir. Versez les tomates, le poivron, la purée et un peu d'eau. Portez à ébullition et cuisez 5 minutes avant d'ajouter les haricots rouges. Faites mijoter 2 à 3 minutes de plus avant d'assaisonner de sel, de poivre et de poudre de chili.

Servez avec 1 cuiller de crème fraîche et des tacos.

Saucisses aux herbes et aux lentilles

Pour 4 personnes
10 minutes de préparation
5 minutes de cuisson

2 cuillers à soupe d'huile d'olive
1 oignon rouge haché
50 g de lardons fumés
150 g de saucisses aux herbes coupées en rondelles
1 pot de 400 g de lentilles vertes cuisinées
2 cuillers à soupe de purée de tomate
2 tomates coupées en quartiers

Faites chauffer l'huile d'olive dans une poêle. Faites-y cuire quelques minutes l'oignon, les lardons et les rondelles de saucisse. Ajoutez les lentilles égouttées, la purée de tomate et un peu d'eau.

Mélangez bien puis laissez mijoter 5 minutes. Ajoutez les quartiers de tomates et servez.

Brochettes de merguez aux pruneaux et aux oranges

Pour 4 personnes
10 minutes de préparation
15 minutes de cuisson

4 merguez coupées en rondelles
8 tomates cerises
1 oignon rouge coupé en quartiers
8 pruneaux dénoyautés
1 orange coupée en quartiers
huile d'olive

Préchauffez le four à 200 °C.

Sur 4 brochettes (préalablement trempées dans l'eau si elles sont en bois), piquez les ingrédients en les alternant. Enduisez d'un peu d'huile d'olive et faites rôtir 15 minutes environ dans un plat allant au four en tournant de temps en temps.

Servez avec du couscous aux raisins.

Risotto aux tomates et saucisses

Pour 4 personnes
5 minutes de préparation
20 minutes de préparation

3 cuillers à soupe d'huile d'olive
1 oignon rouge haché
250 g de riz arborio
1 boîte de pulpe de tomate
50 cl de bouillon de légumes préparé avec 1 cube
4 saucisses
50 g de parmesan

Faites chauffer l'huile dans une poêle et faites-y revenir l'oignon. Ajoutez le riz et laissez cuire pendant 2 minutes jusqu'à ce que les grains deviennent translucides. Versez la pulpe de tomate et un peu de bouillon, remuez bien, portez à ébullition puis faites mijoter environ 15 minutes jusqu'à ce que le riz soit bien crémeux.

Pendant ce temps, faites revenir les saucisses dans une autre poêle.

Mélangez les saucisses et le riz, assaisonnez, parsemez de parmesan râpé et servez.

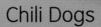

Chili Dogs

Pour 4 personnes
5 minutes de préparation

4 saucisses de francfort
2 baguettes ou ficelles
4 cuillers à soupe de chili
ketchup

Faites pocher les saucisses 5 minutes dans l'eau
bouillante. Fendez des tranches de pain, posez-y les
saucisses et coiffez d'une cuillérée de chili et de ketchup.

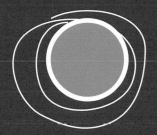

De temps en temps

C'est la fête. Nous laissons tomber tous (ou presque) nos principes de bonne nutrition et nous ne cuisinons que pour le plaisir.

Lors des fêtes d'anniversaire et d'Hallow'een, le sucre est roi. Les enfants se régaleront de bonbons, de chocolats et de sodas. Comme c'est exceptionnel, ce n'est pas si grave.

De temps en temps, ils auront envie de tout réaliser eux-mêmes, comme des grands, de nous faire plaisir, de confectionner gâteaux et cookies pour l'école. Il faut leur suggérer des choses faciles, sans trop d'étapes compliquées ni de techniques de pâtissier afin d'assurer leur réussite et de les encourager à faire encore mieux la prochaine fois...

Goûter des filles

Grands petit four pour petits

Pour 6/8 petits fours
15 minutes de préparation

4 grandes tranches de pain de mie blanc
1 petit pot de tarama
2 tranches de jambon blanc
rondelles de radis et de petits oignons blancs

Couvrez les tranches de pain de mie de tarama et de
jambon et, avec un emporte-pièce, découpez des ronds.
Décorez avec les rondelles de radis et d'oignon et servez
« comme des grands ».

Ice-cream floats

Pour 6 personnes
3 minutes de préparation

1 bouteille de limonade
6 cuillers à soupe de sirop de grenadine
6 boules de glace à la vanille

Préparez des diabolos avec le sirop et la limonade.
Faites tomber délicatement dans chaque verre une boule
de glace et attendez qu'une mousse se forme autour.
Servez avec des cuillers et des pailles.

Mousse aux fraises Tagada

Pour 6 personnes
5 minutes de préparation
2 heures de refroidissement

25 cl de crème fleurette fraîche
1 quinzaine de fraises Tagada

Versez la crème dans une casserole et faites-la chauffer avec les bonbons. Remuez la crème sans la faire bouillir jusqu'à ce que les bonbons soient dissous. Versez la préparation dans un saladier et laissez refroidir complètement au réfrigérateur.

Montez la crème en mousse avec un batteur électrique. Servez dans des petits verres coiffés de fraises Tagada.

Acid cake

Il satisfera sans problème le goût ultra-acide
des fans de frites et autres têtes brûlées.

Pour 10 personnes
15 minutes de préparation
25 minutes de cuisson

pour la pâte
225 g de beurre très mou ou de margarine
225 g de farine
220 g de sucre
4 œufs
2 cuillers à café rases de levure chimique
les zestes d'1 citron
(ou, pour les cas totalement désespérées, un sachet de pâte
à gâteau de chez Herta)

pour le glaçage
400 g de sucre glace
180 g de beurre
3 cuillers à soupe de lemon curd ou le jus et les zestes de 2 citrons

pour le décor
1 paquet de bonbons « Disco » ou similaire

Préchauffez le four à 180 °C.

Beurrez et farinez un moule à manqué

Mettez tous les ingrédients dans le bol du mixeur et battez
pendant 2 minutes afin d'obtenir une pâte bien homogène.

Versez dans le moule et cuisez pendant 25 minutes environ.
Surveillez votre four 5 minutes avant la fin de la cuisson.

Sortez le gâteau du four et laissez-le refroidir avant
de le démouler.

Pour réaliser le glaçage, mettez tous les ingrédients dans
le mixeur et battez jusqu'à ce que le mélange soit bien
onctueux et crémeux.

Coupez le gâteau refroidi en deux dans son épaisseur
et décorez-le à l'aide d'une spatule.

Pressez les Discos sur le dessus du gâteau et entourez-le
de ruban.

Fairy cakes

Des mini-gâteaux génoise omniprésents dans
les goûters d'enfants outre-Manche. Ce sont
des toiles vierges pour toutes les imaginations pâtissières.
Confectionnez-en des douzaines et des douzaines puis
amusez-vous avec vos enfants en les décorant. (Pour ne
pas vous frustrer inutilement, les adresses des décors de
la photo se trouvent à la fin du livre.)

Pour 12 gâteaux
3 minutes de préparation
20 minutes de cuisson

150 g de beurre très mou ou de margarine
175 g de farine
1 cuiller 1/2 de levure chimique
3 œufs

Préchauffez le four à 180 °C.

Placez tous les ingrédients dans un saladier et battez à l'aide
d'un batteur électrique pendant 1 à 2 minutes afin d'obtenir
un mélange homogène.

Dans un moule pour 12 petits gâteaux, posez des caissettes.
Répartissez-y le mélange à gâteau.

Enfournez et cuisez pendant 20 minutes environ. Les gâteaux
doivent être légèrement dorés et fermes.

Sortez-les du moule et laissez refroidir complètement sur
une grille.

Glaçage fondant

le jus d'1 citron
200 g de sucre glace

Je préfère couvrir complètement le dessus des gâteaux
de fondant afin d'obtenir une surface bien plate et bien lisse
pour les décorations.

Mélangez le jus de citron au sucre et couvrez-en chaque
gâteau. Laissez durcir.

Frozen strawberry and mascarpone cheesecake

Pour 8 à 10 personnes
10 minutes de préparation
2 heures de refroidissement

250 g de mascarpone
500 g de bon fromage blanc
150 g de sucre glace
250 g de fraises bien mûres et goûteuses

Équeutez les fraises et réduisez-les en purée dans un robot.

Battez ensemble le mascarpone, le fromage blanc et le sucre. Ajoutez la purée de fraises, mélangez bien et versez le tout dans un moule à cake souple ou classique chemisé de film plastique.

Laissez 2 ou 3 heures au congélateur.

Sortez le gâteau et décorez-le 15 minutes avant de déguster.

Le gâteau au chocolat fondant de vous savez très bien qui...

C'est bien parce que c'est vous que j'accepte de redonner deux recettes dont l'une est devenue un classique incontournable. Elle sont TELLEMENT faciles, TELLEMENT bonnes et font TELLEMENT d'effet que je leur ai réservé de nouveau une toute petite place. Après tout, vous n'avez peut être pas mes autres ouvrages…

Pour 6 à 8 personnes
5 minutes de préparation
22 minutes de cuisson

200 g de beurre
1 cuiller à soupe de farine
200 g de bon chocolat noir
220 g de sucre
5 œufs

Préchauffez le four à 190 °C.

Beurrez et farinez un moule à manqué

Faites fondre le chocolat et le beurre ensemble au micro-ondes ou au bain-marie. Ajoutez le sucre et laissez refroidir un peu.

Incorporez un à un les œufs en remuant bien avec une cuiller en bois après chaque nouvel œuf ajouté. Enfin, ajoutez la farine et lissez bien le mélange.

Versez dans le moule et cuisez pendant 22 minutes. Le gâteau doit être encore légèrement tremblotant au milieu.

Sortez-le du four, laissez refroidir quelques minutes seulement avant de démouler puis laissez refroidir complètement. Bien meilleur le lendemain !

Glaçage très très facile

4 cuillers à soupe d'eau
200 g de chocolat noir
100 g de beurre

Faites chauffer tous les ingrédients ensemble au micro-ondes ou au bain-marie.

Mélangez pour rendre le glaçage parfaitement lisse.

Posez le gâteau sur une grille placée sur du papier sulfurisé ou guitare. Glacez-le en répartissant la préparation légèrement refroidie afin qu'elle ne coule pas trop rapidement.

Barbie cake

Pour 10 à 12 personnes
15 minutes de préparation
50 minutes de cuisson

500 g de farine
150 g de yaourt
150 ml de lait
375 g de sucre
250 g de margarine ou de beurre très mou
7 œufs
1 sachet de levure chimique

Préchauffez le four à 190 °C.

Beurrez et farinez le moule.

Mélangez le yaourt et le lait.

Battez ensemble le sucre et le beurre jusqu'à ce que le mélange blanchisse et double de volume. Ajoutez les œufs un à un en battant à chaque fois.

Incorporez en alternant la farine et le lait au yaourt en battant bien à chaque étape. Ajoutez la levure en battant à nouveau.

Versez la pâte dans le moule et faites cuire pendant 50 minutes environ, en baissant la température du four après 30 à 40 minutes de cuisson.

Laissez refroidir entièrement le gâteau avant de commencer votre œuvre.

Vous trouverez à la fin du livre les adresses où vous procurer le kit « demi-Barbie » en blonde, brune ou peau mate, sur une pique à enfoncer dans le gâteau, ainsi que du fondant tout prêt de toutes les couleurs et des décorations en sucre. (Pour éviter tout cela, utilisez de la crème au beurre ou un glaçage au chocolat. Vous pouvez même mutiler une Barbie et bricoler le tout…)

Ensuite, à l'aide d'un peu de confiture d'abricot délayée dans de l'eau, d'un pinceau et d'un zeste de dextérité (mais pas trop, je suis horriblement maladroite et je trouve la mienne pas mal du tout) pour coller le fondant à la peau plastifiée de Barbie, vous ferez des merveilles. Une astuce : utilisez du ruban pour couvrir tous les endroits douteux. Ma belle-sœur Margo ne s'embête pas avec une jupe entière qui nécessite une grande surface de fondant. Elle fabrique de nombreux pans et volants.

Inspirez-vous des livres de contes de vos filles !

Gâteau des filles aux chamallows et gâteau des garçons à la barbe à papa pour les nuls

Ici, il faut faire preuve d'un peu d'initiative. D'abord, un petit tour chez Colette ou à La Grande Épicerie pour trouver de la barbe à papa en seau et des mini-chamallows. Ensuite, abordez votre pâtissier chéri afin de quémander (voire acheter, s'il est mal luné) du fondant tout prêt.

Je vous promets, c'est le seul effort à fournir et c'est très peu cher payé pour épater les invités de vos enfants (et, plus important, leurs parents) au moment des bougies. Vous remarquerez que la recette du gâteau est celle du simplissime « Victoria sandwich », grand classique de la cuisine anglo-saxonne adoré par tous les enfants. Juré, craché.

Pour 10 personnes
5 minutes de préparation
25 minutes de cuisson

225 g de farine
225 g de beurre très mou ou de margarine
220 g de sucre
4 œufs
2 cuillers à café rases de levure chimique
1 cuiller à café d'extrait naturel de vanille (ou un sachet de pâte à gâteau toute faite, moelleux nature de Herta pour les archi-nuls)
environ 300 g de fondant blanc

pour le glaçage
400 g de sucre glace
175 g de beurre
le jus d'1 citron

ou tout simplement…
3 à 4 cuillers à soupe de confiture de framboises

Préchauffez le four à 180° C.

Beurrez et farinez un moule à manqué

Placez tous les ingrédients dans le bol du mixeur et battez pendant 2 minutes afin d'obtenir une pâte bien homogène.

Versez dans le moule et faites cuire 25 minutes environ. Surveillez votre four au bout de 20 minutes.

Sortez le gâteau du four et laissez-le refroidir avant de le démouler.

Placez tous les ingrédients du glaçage dans le bol du mixeur et battez jusqu'à ce qu'il soit bien crémeux et onctueux.

Coupez le gâteau en deux. Faites-en un « sandwich » avec la confiture ou le glaçage. Dans ce cas, glacez également le dessus et les côtés du gâteau.

Roulez le fondant parsemé de sucre glace afin de faire un rond assez grand pour couvrir le gâteau et tomber joliment en plis sur les côtés. Décorez de chamallows pour les filles, de barbe à papa pour les garçons. Attention, ne déposez la barbe à papa qu'au dernier moment pour qu'elle garde tout son volume.

Goûter dernière minute

Si vous n'avez ni le temps ni la motivation de faire dans le totally homemade, comme dans TOUS les autres goûters de la classe… Si vous vous y êtes pris avec 3 mois de retard pour réserver un atelier ou un magicien…

Dites-vous que l'année prochaine vous baratterez vous-même le beurre des petits sandwiches, que vous ferez pousser vous-même les fraises du superbe fraisier dans votre potager et que vous prendrez des cours du soir de calligraphie et de peinture sur porcelaine pour décorer les verres et les assiettes au nom de chaque petit invité.

Ensuite, soignez surtout le gâteau du héros du jour et faites un tour au supermarché en lui permettant de choisir tout ce qui lui plaît, même les choses qui fréquentent rarement l'intérieur de vos placards et de votre réfrigérateur diététiquement irréprochables tout le reste de l'année.

Alphabet cake

Pour 10 (ou 26) personnes
25 minutes de préparation
1 heure de refroidissement pour le décor
25 minutes de cuisson

225 g de beurre très mou ou de margarine
225 g de farine
225 g de sucre
4 œufs
4 cuillers à soupe de cacao mélangées à 4 cuillers à soupe
d'eau chaude
2 cuillers à café rases de levure chimique

pour le glaçage
200 g de chocolat noir fondu
500 g de sucre glace
200 g de beurre mou
2 cuillers à soupe d'eau
250 g de bon chocolat au lait (chocolat de couverture de préférence)
Pour les lettres en chocolat : pas de panique, je vous donne l'adresse
où vous pourrez trouver le moule à la fin du livre.
(Sinon, vous les trouverez toutes faites chez Jadis et Gourmande,
adresse indiquée à la fin, elle aussi).

Commencez par le décor.

Faites fondre le chocolat au micro-ondes ou au bain-marie.
Si vous avez déniché du chocolat de couverture, vous n'aurez
aucun problème au micro-ondes. Le Nestlé au lait marche très
bien aussi. S'il n'est pas top, mieux vaut le faire fondre
au bain-marie.

Posez du papier sulfurisé ou guitare sur le plan de travail.
Versez le chocolat dans le moule à lettres. Avec une spatule,
coudée de préférence, assurez-vous que toutes les lettres sont
bien remplies de chocolat fondu. Tapotez le côté du moule afin
d'évacuer les bulles d'air à la surface.

Raclez la surface du moule en faisant tomber l'excédent
de chocolat sur le papier. Mettez le moule au réfrigérateur
pendant 1 heure.

Ensuite, le gâteau.

Préchauffez votre four à 180 °C.

Beurrez et farinez un moule à manqué, à moins que vous
ne trouviez un superbe carré comme le mien, qui est tout
de même génial pour caser toutes les lettres bien alignées.
(Sachez que pour le grand gâteau de la photo, j'ai doublé
les quantités. Et si vous voulez vraiment tout savoir, ça marche
aussi très bien avec les pâtes à gâteau toutes faites de chez
Herta.

Placez tous les ingrédients dans un mixeur (j'adore cette
recette) et battez pendant 2 minutes afin d'obtenir un mélange
homogène.

Versez dans le moule et cuisez 25 minutes environ selon
la puissance de votre four. Surveillez bien.

Lorsque le gâteau est cuit, laissez-le refroidir un peu dans son
moule avant de le démouler et de le laisser refroidir
complètement.

Pendant la cuisson, préparez le glaçage.

Placez tous les ingrédients dans votre mixeur bien propre
et battez afin d'obtenir un glaçage crémeux et onctueux.
Coupez le gâteau froid en deux dans son épaisseur et faites
un « sandwich » avec le glaçage et les deux moitiés. Ensuite,
couvrez le gâteau entier de glaçage à l'aide d'un couteau bien
plat ou d'une spatule.

Divisez les quantités par deux si vous ne coupez pas le gâteau
en deux. Personnellement j'aime bien lui donner un air
important en le rehaussant de quelques millimètres
de glaçage.

Démoulez les lettres en tordant le moule au chocolat comme
un bac à glaçons et en le retournant. Attention, faites-les
tomber sur un torchon afin de ne pas les casser.

Alignez-les sur le gâteau avant de le massacrer en servant
les parts correspondant aux initiales des invités.

Grand gâteau aux petits fours

Si vous n'avez pas le moule alphabet, vous pouvez décorer le
gâteau des plus petits et plus chics petits fours pour donner le
double de plaisir.

Piñata

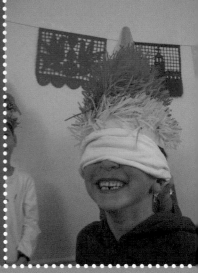

Une activité de fête d'anniversaire, venue d'Amérique du sud, qui fera participer même les plus calmes.

Servez des chips avec le dip au peanut butter, des chili dogs et des ananas frais grillés avant de sortir le gâteau de la star.

112

Hallow'Een

Deux petites recettes dont l'ingrédient principal est une imagination morbide.

Soupe d'intestins

Pour 4 personnes
15 minutes de cuisson

250 g de pâtes de formes différentes (tagliatelles, fusilli, penne) exigeant le même temps de cuisson si possible
75 cl de coulis de tomate, frais si possible
2 à 3 cuillers à soupe de Worcestershire sauce
sel, poivre

Faites cuire les pâtes. Réchauffez le coulis de tomates et mélangez-le aux « intestins ».

Assaisonnez avec la Worcestershire sauce, le sel et le poivre.

Boue et vers de terre

Pour 4 personnes
5 minutes de préparation

1 paquet de sablés au chocolat (Pépito, Granola)
2 cuillers à soupe de noisettes émondées
2 cuillers à soupe de raisins secs
15 cl de crème fleurette fraîche
200 g de chocolat au lait
réglisse marron pour les vers de terre

Dans un saladier, écrasez les gâteaux avec les doigts. Ajoutez les noisettes et les raisins.

Portez la crème à ébullition et versez sur le chocolat. Remuez jusqu'à ce que le chocolat soit fondu. Mélangez aux biscuits écrasés.

Heureusement les pommes d'amour existent pour réconcilier tout le monde.

Tarte aux pommes comme en Irlande

Loin de moi l'idée d'imposer un quelconque passéisme nationaliste à mes enfants, mais ils préfèrent vraiment le Hallow'Een (oui, c'est la bonne orthographe) version County Antrim.

Avant le déferlement de plastique orange, c'était une fête familiale avec des déguisements poussant rarement plus loin que les sorcières, vampires, chats noirs et autres fantômes.

La pomme était reine, et dans les jeux, et dans les plats. On cachait des pièces de monnaie porte-bonheur dans les tartes, un peu comme dans les galettes des rois en France.

Pour 6 à 8 personnes
20 minutes de préparation
1 heure de repos
30 minutes de cuisson

350 g de farine
150 g de beurre salé très froid coupé en dés
2 cuillers à soupe de sucre
1 œuf légèrement battu
750 g de pommes boskoop
75 g de sucre
2 ou 3 petites pièces de monnaie emballées dans du papier aluminium
un peu de lait pour glacer

Dans un grand saladier, versez la farine et le beurre. Travaillez-le tout avec les doigts afin d'obtenir un mélange ressemblant à une fine chapelure. Ajoutez le sucre puis l'œuf et un peu d'eau très froide afin d'obtenir une boule de pâte. Emballez-la dans du film alimentaire et laissez reposer au réfrigérateur 1 heure ou 2.

Préchauffez votre four à 200 °C.

Sortez la pâte du réfrigérateur. Sur une surface froide et légèrement farinée, pétrissez la pâte pendant quelques minutes. Aplatissez-en les 2/3 et garnissez le fond d'un plat à tarte de 28 centimètres environ.

Épluchez les pommes et coupez-les en quartiers fins. Placez-les dans la tarte avec le sucre et cachez les pièces dessous.

Roulez le reste de la pâte, couvrez les pommes et pressez les bords avec les doigts puis une fourchette pour bien fermer. Avec un pinceau, brossez le dessus de la tarte avec un peu de lait pour la glacer. Piquez le dessus avec une fourchette et enfournez 30 minutes jusqu'à ce que la pâte soit bien dorée.

Servez la tarte chaude avec du mascarpone, de la glace à la vanille ou de la crème anglaise.

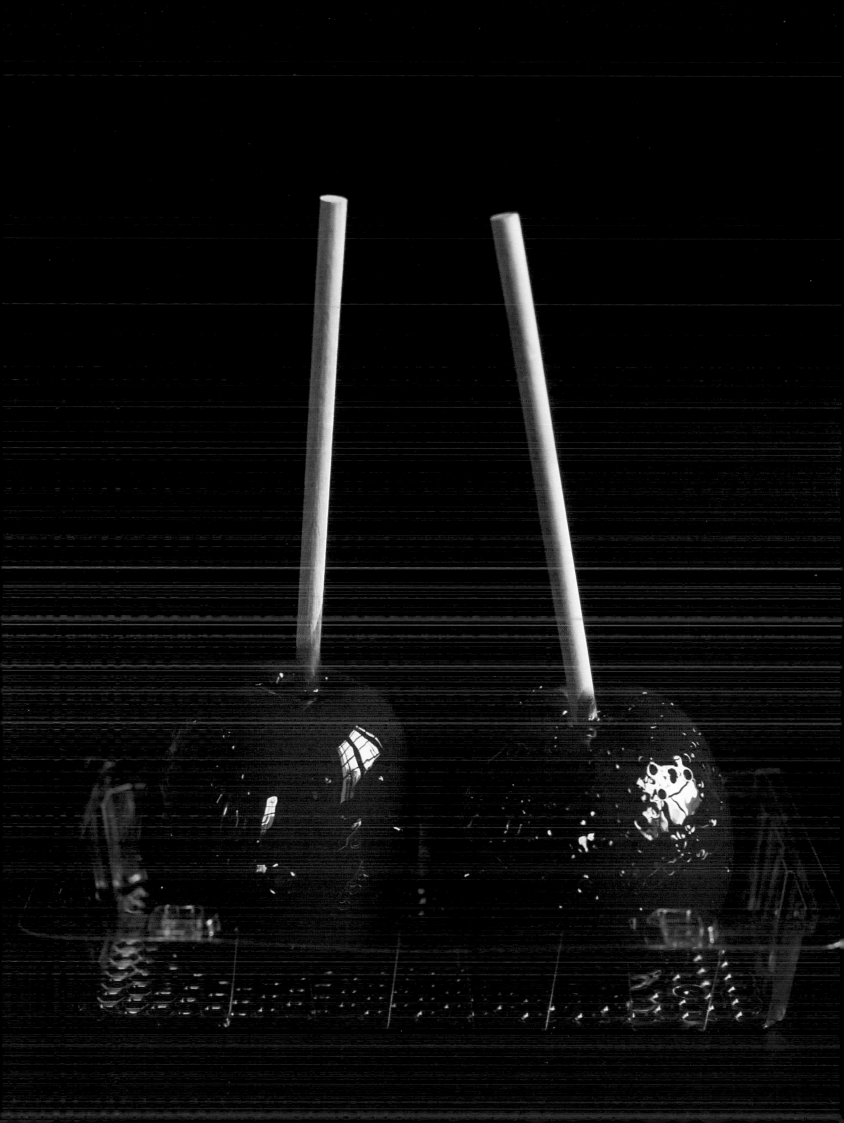

Hallow'een

jeux de pommes

Dans une grande bassine d'eau, faites flotter des pommes. Les joueurs doivent essayer de les croquer en gardant les bras et les mains derrière le dos.

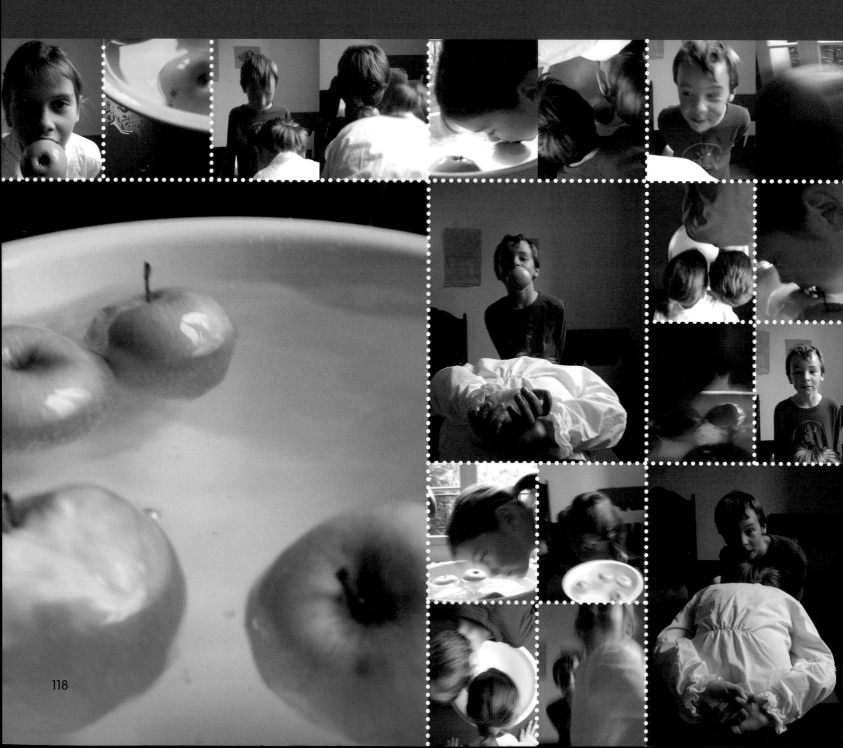

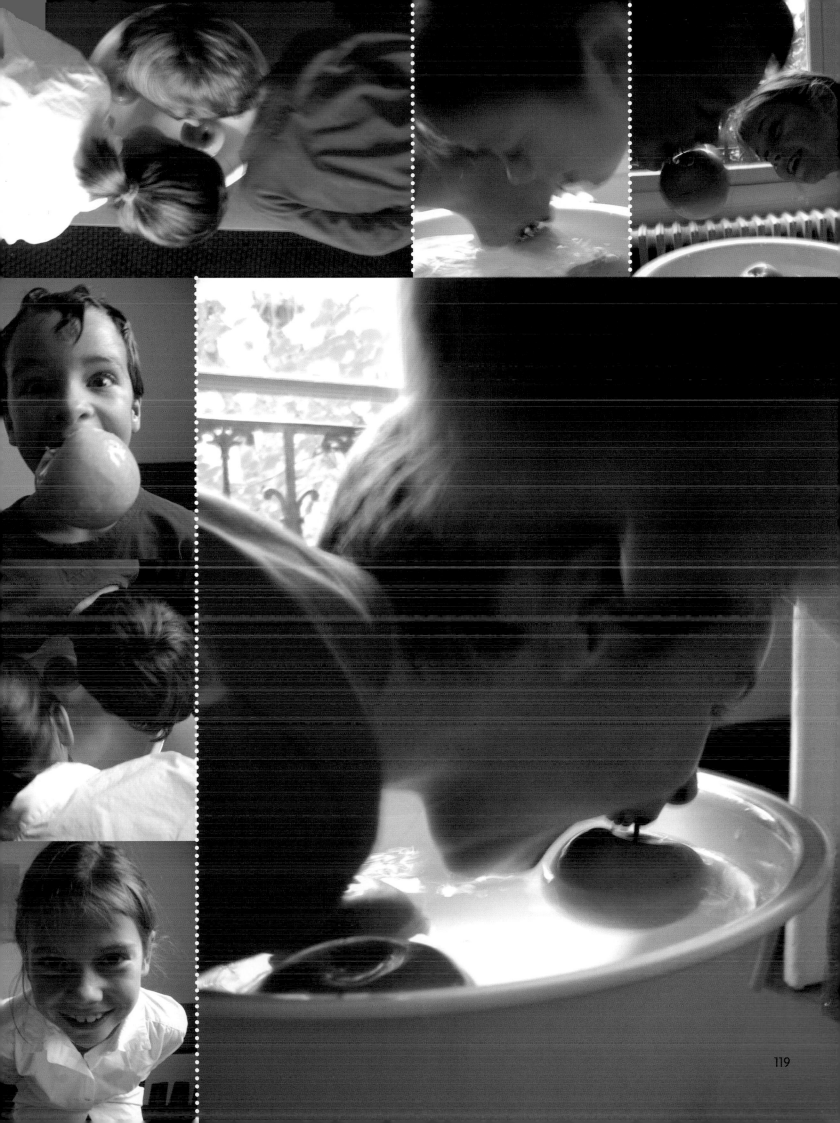

Hallow'Een
Jeux de pommes

Passez une corde assez solide dans les pommes et suspendez-les en hauteur. Les joueurs doivent essayer de croquer puis de dévorer en premier les pommes, sans utiliser les bras ou les mains.

Camp d'été

Pas besoin de partir loin. Une tente des plus basiques, un bout de jardin et un peu d'imagination transformeront vos enfants en aventuriers. Mieux vaut rester près de la maison en cas de peurs ou de pluie nocturnes.

Ces recettes sont archisimples, même si adultes et Biafine doivent rester à proximité. Elles nécessitent un minimum d'équipement et de couverts.

Maquereaux grillés au citron vert

Pour 6 personnes
5 minutes de préparation
5 à 8 minutes de cuisson

6 maquereaux vidés
3 citrons verts
huile d'olive
fleur de sel, poivre

Pratiquez de petites entailles dans les flancs des poissons.

Coupez des tranches très fines de citron vert et insérez-les dans la peau des maquereaux.

Enduisez d'un peu d'huile, assaisonnez et faites griller sur le feu de camp.

Brochettes de mini-boudins à l'ananas

Pour 6 personnes
5 minutes de préparation
5 minutes de cuisson

1 trentaine de mini-boudins noirs et blancs
1 boîte d'ananas en morceaux égouttés

Sur des brochettes, alternez les boudins et les morceaux d'ananas puis faites griller sur le feu. Si les brochettes sont en bois, faites-les tremper dans l'eau au préalable.

Marshmallows grillés

La recette de feu de camp par excellence,
certainement depuis l'âge de pierre.
Croquer la fine couche de caramel qui se dépose
comme par magie après un séjour de quelques
secondes dans les flammes est toujours un régal.

Bananes noircies, beurre au citron

Pour 6 personnes
10 minutes de préparation
15 minutes de cuisson

le jus et le zeste d'1/2 citron
1 cuiller à soupe de sucre
100 g de beurre salé
6 petites bananes

Mélangez le jus, le zeste du citron, le sucre et le beurre.
Gardez au frais.

Posez les bananes sur la grille, sur du papier aluminium,
et faites-les noircir 15 minutes environ. Fendez les bananes
et glissez un peu de beurre au citron à l'intérieur avant
de déguster.

Sandwichs grillés aux Snickers

Pour 6 personnes
5 minutes de préparation
5 minutes de cuisson

50 g de beurre salé
12 petites tranches de pain de mie
3 Snickers coupés en tranches

Beurrez 2 tranches de pain de mie. Placez l'une des tranches
côté beurré dans un grille-pain à l'ancienne. Posez quelques
tranches de Snickers et fermez avec la deuxième tranche, côté
beurré vers l'extérieur. Posez dans le feu et faites griller
quelques minutes.

Un vrai chocolat chaud

Pour 6 personnes
5 minutes de préparation

1 litre de lait frais entier
50 cl de crème fleurette fraîche
400 g de bon chocolat à cuire
chantilly en bombe
Sprinkles
Chamallows
chocolat en poudre

Mélangez le lait et la crème puis portez à ébullition.

Versez sur le chocolat et remuez jusqu'à ce qu'il soit fondu.

Répartissez le chocolat dans les tasses et décorez de chantilly,
de Sprinkles, de Chamallows, chocolat en poudre, etc.

École

Picnic

Que ce soit pour remplacer le déjeuner à la cantine ou pour la sortie du trimestre d'été, nous connaissons tous le phénomène des restes de pique-nique réduits en miettes au fond du sac à dos. Seuls le gâteau prévu pour le goûter et les bonbons gentiment apportés par un camarade ont été dévorés.

Tenez bon. Essayez de ne pas céder à chaque fois aux sachets de chips, aux sodas et aux paquets de gâteaux ultra sucrés sous prétexte qu'ils mangeront « au moins quelque chose. »

Voici quelques idées pour des déjeuners en kit plus équilibrés qui pourraient même finir par leur plaire.

1. Changez de pain. Essayez d'éviter le pain de mie blanc ou la baguette. Du pain ou des muffins complets apporteront davantage de fibres. Vous pouvez aussi varier les goûts avec du pain libanais, des tortillas, des naans ou des pitas, qui existent aussi en « mini ».

2. Prévoyez toujours un légume. Des mini-tomates, des mini-concombres ou des mini-épis de maïs cuits à la vapeur sont faciles à croquer. Mélangez des carottes râpées avec du thon, du houmous, du poulet et glissez toujours une feuille de salade dans le jambon-beurre.

3. Les stars des fruits frais sont les raisins, les mini-bananes, les prunes et les clémentines. Faciles à éplucher ou à manger grâce à leur peau plus solide que celles des fraises, des pêches ou des poires. Pensez aussi à ajouter des oranges, de l'ananas, des pommes et des poires dans de petites salades individuelles de pâtes, de couscous, de pommes de terre ou de haricots verts, avec ou sans viande.

4. Des fruits secs, comme les abricots, les poires et les pruneaux, existent désormais en ultra-moelleux, parfois aromatisés à l'orange ou à la vanille et présentés en petits sachets. Une source formidable d'énergie et de vitamines pour les récrés musclées.

5. Pour les laitages, votre tâche est facile. Tout existe en sachets, bâtons, petits pots ou machins à sucer.

Muffins aux pommes et aux mûres

Pour 1 douzaine de muffins
10 minutes de préparation
20 à 25 minutes de cuisson

2 œufs
120 ml d'huile végétale
200 g de sucre
25 cl de lait
375 g de farine
4 cuillers à café de levure chimique
3 pommes épluchées et coupées en tout petits morceaux
200 g de mûres

Préchauffez le four à 200 °C.

Mettez les œufs, l'huile, le sucre et le lait dans un grand saladier puis battez bien. Ajoutez la farine et la levure puis mélangez à nouveau. Ajoutez délicatement les morceaux de pomme et les mûres.

Posez des caissettes à muffins dans le moule et remplissez chacune d'elles aux deux tiers. Enfournez et cuisez pendant 20 à 25 minutes.

Muffins à la banane et aux pépites de chocolat

Pour 1 douzaine de muffins
5 minutes de préparation
20 à 25 minutes de cuisson

1 œuf
40 ml d'huile végétale
3 bananes mûres écrasées
40 ml de lait
250 g de farine
100 g de pépites de chocolat
125 g de sucre
2 sachets de levure chimique

Préchauffez le four à 200 °C.

Dans un grand saladier, battez ensemble l'œuf, l'huile, les bananes et le lait. Ajoutez la farine, les pépites, le sucre et la levure puis mélangez à nouveau.

Posez des caissettes à muffins dans le moule et remplissez chacune d'elles aux deux tiers.

Laissez cuire pendant 20 à 25 minutes.

Mini-muffins aux framboises

Pour 36 muffins environ
10 minutes de préparation
20 à 25 minutes de cuisson

250 g de farine
85 g de sucre
2 cuillers à café rases de levure chimique
1 gros œuf
20 cl de lait
90 g de beurre fondu
120 g de framboises fraîches

Préchauffez le four à 200 °C.

Mettez la farine, le sucre et la levure dans un saladier. Creusez un petit puits au milieu.

Dans un autre récipient, battez ensemble l'œuf, le lait et le beurre fondu puis versez sur la farine et mélangez jusqu'à ce que la pâte soit la plus lisse possible (ne vous inquiétez pas s'il reste quelques grumeaux).

Ajoutez les framboises et mélangez délicatement pour ne pas trop les écraser.

Posez des caissettes à mini-muffins dans un moule et remplissez-les de pâte aux deux tiers.

Enfournez pendant 20 à 25 minutes jusqu'à ce que les muffins soient bien dorés et gonflés.

Quatre-quarts

Pour 6 à 8 personnes
10 minutes de préparation
50 minutes de cuisson

1 batteur électrique
1 saladier
1 moule à manqué de 20 cm de diamètre
(si vous n'avez pas encore acheté un moule souple en silicone)
4 œufs
le poids des œufs en beurre salé plus quelques grammes
pour beurrer le moule
le poids des œufs en sucre en poudre
le poids des œufs en farine
1/2 sachet de levure chimique

Préchauffez le four à 180 °C.

Beurrez le moule s'il ne s'agit pas d'un moule en silicone.

Battez le beurre avec le sucre jusqu'à ce que le mélange soit bien onctueux. Ajoutez les œufs sans cesser de battre puis la farine tamisée et la levure chimique.

Versez dans le moule et faites cuire pendant 40 à 50 minutes.

Laissez refroidir quelques minutes avant de démouler. Puis, après démoulage, laissez-le refroidir complètement sur une grille à gâteau.

Blondies

Pour 1 vingtaine de carrés
10 minutes de préparation
20 minutes de cuisson

75 g de beurre
210 g de farine
300 g de chocolat blanc pur beurre de cacao
3 œufs
80 g de cassonade
100 g d'abricots secs moelleux taillés en tout petits morceaux
1 cuiller à soupe de jus de citron

Préchauffez le four à 190 °C.

Beurrez et farinez un moule d'environ 28 sur 20 cm.

Mettez le chocolat et le beurre dans un bol puis faites-les fondre doucement soit au bain-marie soit au micro-ondes.

Ajoutez en battant les œufs et le sucre, puis les autres ingrédients.

Versez dans le moule et faites cuire pendant 20 minutes environ jusqu'à ce que le dessus soit légèrement doré.

Laissez refroidir complètement dans le moule avant de couper en petits carrés.

Gâteau de carottes

20 minutes de préparation
50 minutes de cuisson

250 g de carottes
5 œufs
200 g de sucre
le zeste d'1 orange
200 g d'amandes en poudre
200 g de sucre glace
le jus d'1 citron

Beurrez un moule à manqué de 24 centimètres de diamètre.

Préchauffez le four à 150 °C.

Épluchez et râpez les carottes.

Séparez les blancs des jaunes d'œufs. Battez les jaunes avec le sucre jusqu'à ce qu'ils blanchissent. Ajoutez le zeste d'orange et les amandes en poudre. Remuez bien.

Montez les blancs d'œufs en neige puis rajoutez-les délicatement avec les carottes au mélange jaunes d'œufs-amandes.

Versez dans le moule et enfournez à mi-hauteur pendant 50 minutes environ. Le gâteau doit rebondir lorsque vous appuyez au centre avec le doigt. S'il dore trop vite, couvrez de papier aluminium.

Sortez du four et laissez refroidir 5 minutes avant de démouler.

Lorsque le gâteau est complètement refroidi, glacez-le avec du sucre glace additionné de jus de citron puis laissez-le sécher.

Petit déj' d'amour

Il fallait bien un passage sentimental, les enfants ayant souvent envie de nous préparer le petit déj' au lit pour notre anniversaire, la fête des pères ou des mères, etc. On oublie alors volontiers les grasses mats fichues en l'air par du café froid renversé et des miettes dans le lit.

Ces recettes nécessitent un simple emporte-pièce en forme de cœur et une maîtrise technique minimale. Et ça leur fait toujours tellement plaisir….

Toasts aux œufs

Pour 2 personnes
5 minutes de préparation
3 minutes de cuisson

2 tranches de pain de mie complet
un peu de beurre
2 œufs

Découpez des cœurs dans les tranches de pain à l'aide de l'emporte-pièce.

Faites chauffer le beurre dans une poêle et dorez le pain d'un côté.

Retournez le pain et cassez un œuf dans le trou en forme de cœur. Laissez cuire 3 minutes environ.

Pendant ce temps, faites griller les morceaux de pain en forme de cœur et beurrez-les. Servez chaud.

Cœurs de brioche grillée, beurre salé au chocolat et sucre muscovado

Pour 2 personnes
5 minutes de préparation
2 minutes de cuisson

1 cuiller à café de cacao en poudre
1 cuiller à café de sucre muscovado ou vergeoise
2 tranches de brioche
50 g de beurre salé

Mélangez le cacao en poudre, le sucre et le beurre. Découpez des cœurs dans la brioche à l'aide de l'emporte-pièce et grillez-les.

Servez la brioche bien chaude avec le beurre à part.

143

Limonade maison

6 gros citrons non traités coupés en fines tranches
250 g de sucre
20 cl de jus de citron fraîchement pressé
30 cl d'eau
glaçons
1 petite botte de menthe fraîche (facultatif mais délicieux)

Dans un mixeur, mixez les tranches de citron (réservez-en
1 ou 2 pour la déco), 200 grammes de sucre et le jus de citron.
Passez cette pulpe au chinois en pressant fermement afin
d'en extraire un maximum de liquide. Ajoutez l'eau et le reste
du sucre.

Versez la limonade sur les glaçons dans un broc, laissez
reposer 10 minutes puis servez décoré de tranches de citron
et de feuilles de menthe.

Plats tout seul

5 euros pour le repas

...et les bonbons !

Que faisons-nous ? Bourginon ? Paella ? Curry ?

Heureusement je suis là

Tout pour faire un diabolo.

Celle-là me plaît bien.

On commence par le plus
important, les pop-corn...

Finalement on se fait des carbos !

Adèle prend les choses en main.
De la crème fraîche...

...et des œufs bios comme à la
maison.

Nous sommes de vrais chefs !
Tout ça sans dépassement de
budget !

149

Sur de la pâte à pizza toute faite, étalez une bonne sauce tomate

Chacun choisit son bout à garnir.

Au milieu Coco pose des tomates

Ensuite un peu de mozzarella.

Et hop ! Au four à 200° pendant 10 minutes.

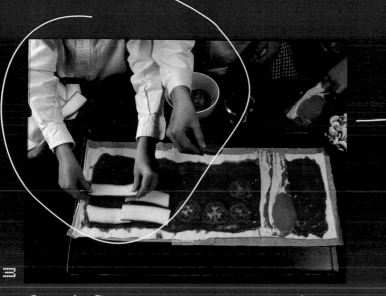
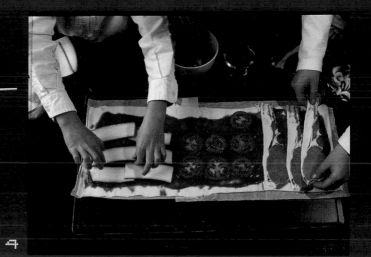

A gauche Tanguy commence avec des tranches fines de courgettes.

A droite Nicolas préfère le bacon.

Des champignons en tranches fines s'il vous plaît.

du chorizo et des olives.

1 T'as vu mes biceps, Victoire ?

2 Oui, mais il faut rouler dans les 2 sens, Pauline.

3 On commence bien sur les côtés.

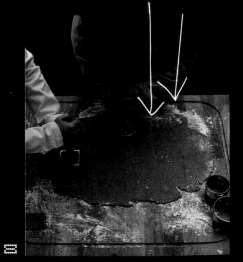

7 J'ai presque plus de place.

8 1, 2, 3, ensemble nous appuyons.

9 Je change de technique.

C'est l'activité culinaire parfaite pour les tout-petits rompus aux techniques de la pâte à modeler.
Si vous devez absolument garder votre cuisine propre et zapper les étapes ultra-pédagogiques de mixage, de pesage etc., sachez que la pâte sur les photos est une géniale invention toute prête de chez Ikea. Elle est délicieuse et destinée à la fabrication de décorations pour sapins et autres gingerbread men. Malheureusement, seuls les plus grands ont apprécié le goût de cannelle et de muscade, voici donc une recette plus neutre.

Pour 1 trentaine de cookies
10 minutes de préparation
15 minutes de cuisson

50 g de beurre salé bien mou
100 g de sucre cassonade
1 cuiller à soupe de lait
160 g de farine

Préchauffez le four à 180 °C

Avec un batteur électrique, battez le beurre et le sucre. Ajoutez le lait et battez à nouveau jusqu'à ce que le mélange soit bien lisse.

Incorporez la farine et mélangez pour obtenir une pâte souple.

Laissez les enfants aplatir la pâte avec un rouleau à pâtisserie et découper des formes à l'aide de petits emporte-pièce de toutes les formes.

Placez les gâteaux sur une plaque allant au four (antiadhésive ou posée sur du papier sulfurisé) et cuisez 10 à 15 minutes jusqu'à ce qu'ils soient dorés.

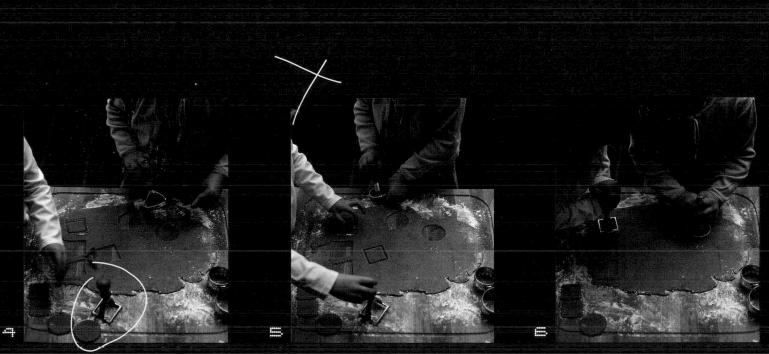

Et c'est parti... Pas trop au milieu Pauline ! Tu t'es vue Victoire ?

Finalement, tu as peut-être raison !

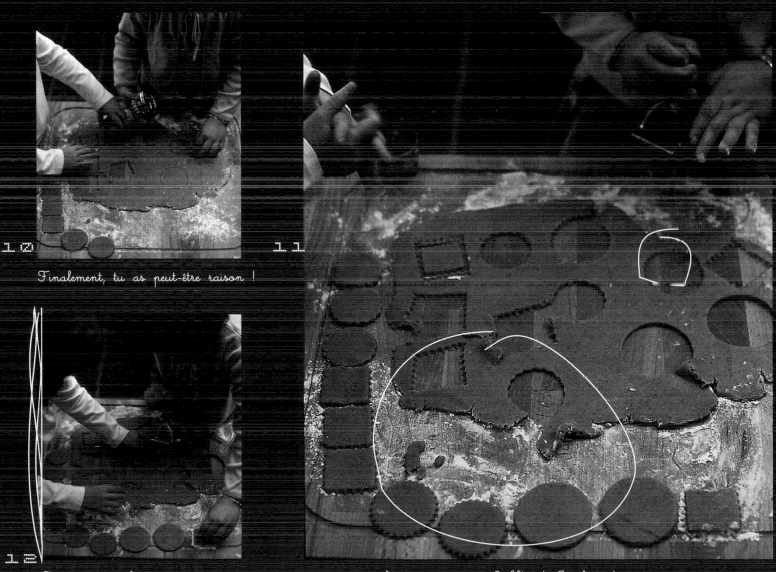

Tu crois que les parents apprécieront tout ce que nous faisons pour eux ? Vite ! Au four !

tarte aux pommes de Philippine

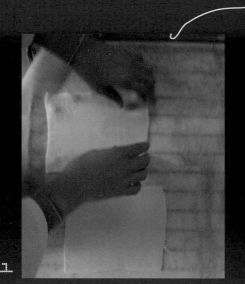

Ah, la pâte feuilletée toute faite, c'est magique !
Les carrés ne doivent pas être trop proches les uns des autres.

Je fais très attention en découpant les pommes

Un peu de sucre

3 à 4 pommes
1 pâte feuilletée toute faite que l'on trouve dans le commerce
100 g de sucre

Préchauffez le four à thermostat 6.

Épluchez les pommes et coupez-les en fines lamelles.

Puis disposez les lamelles sur la pâte de façon à ce qu'il n'y ait plus de trous entre les lamelles.

Ensuite, saupoudrez la tarte de sucre et mettez-la au four pendant 20-25 minutes (elle doit être bien dorée).

Sortez-la du four. Elle peut être accompagnée d'une glace à la vanille par exemple. Bon appétit !

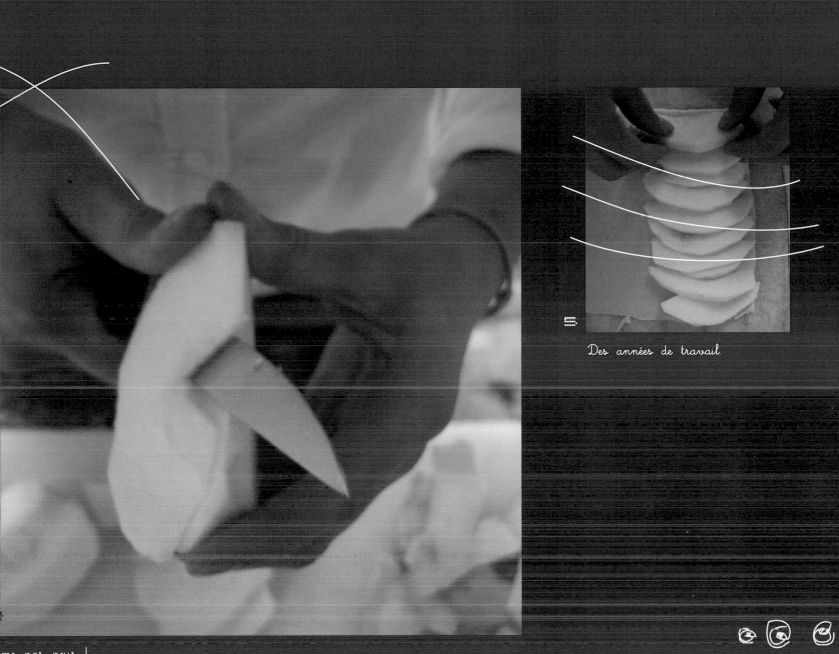

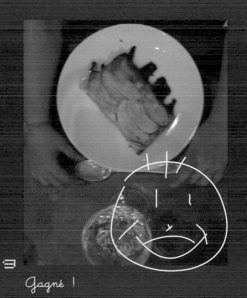

Des années de travail.

me pas peur !

Dorée à souhait, ma tarte.

J'en veux encore....

Gagné !

tarte aux courgettes de Maxence

1 Je lave bien mes légumes.

2 Un morceau de doigt là-dedans, ça ferait désordre.

3 Récapitulatif des ingrédients.

5 C'est pas joli ?

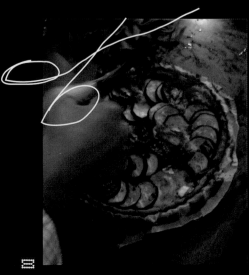

4 Un peu de basilic...

6 ...et mon public est comblé !

Avec le papier, moins de vaisselle.

Je m'applique.

Ma touche perso

On ne parle pas la bouche pleine.

Il vous faut :
1 pâte brisée toute prête
un peu de pâte à tartiner du genre St Moret
2 tomates pas trop juteuses
3 courgettes
1 fromage de chèvre en bûche
herbes fraîches (basilic, ciboulette...)
huile d'olive, sel, poivre

Étalez la pâte dans un moule à tarte et piquez-la avec une fourchette.

Tartinez le fond avec du St Moret.

Intercalez des tranches de tomates, courgettes et chèvre.

Salez, poivrez et ajoutez 1 filet d'huile d'olive.

Enfournez à mi-hauteur 45 minutes à 150°C.

Au moment de servir, décorez avec des fines herbes ciselées.

Il vous faut :
3 œufs
150 g de sucre semoule
250 g de mascarpone
1 cuiller à soupe d'amaretto ou de marsala
2 boîtes de biscuits à la cuiller
1/2 litre de Nescafé froid
du cacao non sucré ou du Nesquick

1

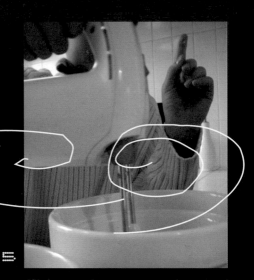

5

6

7

Mélangez le sucre semoule avec les jaunes d'œufs jusqu'à ce que le mélange blanchisse.

Ajoutez le mascarpone et l'amaretto. Battez-les.

11

12

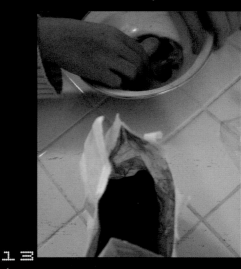

13

Trempez les biscuits à la cuiller dans le Nescafé et rangez-les dans un grand plat.

Ajoutez une couche de préparation puis une seconde de biscuits trempés et terminez pas une couche de crème.

Prenez les œufs et séparez les jaunes des blancs (grand récipient pour les jaunes et moyen pour les blancs).

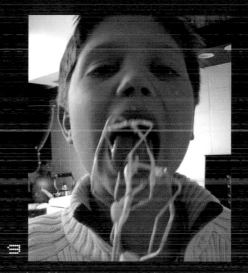

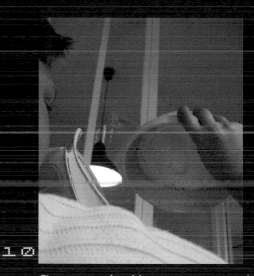

Battez-les. Ajoutez une pincée de sel dans les blancs et montez-les en neige (astuce : pour vérifier que vos blancs en neige sont prêts, retournez le récipient.)

Incorporez les blancs en neige à la préparation. Mélangez doucement.

Mettez le tiramisu au frais. (2 heures minimum).

Avant de le servir, poudrez-le de cacao avec une passoire à thé.

Les quesadillas d'Elliott

pour 2 personnes

de la mozzarella
2 tomates
4 tortillas

Coupez la mozzarella et les tomates en rondelles.

Pliez votre tortilla en deux en glissant à l'intérieur deux rondelles de mozzarella et deux rondelles de tomate.

Mettez au four pendant 15 minutes à 190°C. C'est prêt !

Bon appétit !

Attention les doigts

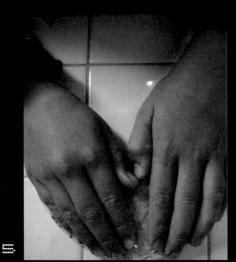

Je ferme bien

Je dois vraiment tout faire dans cette maison

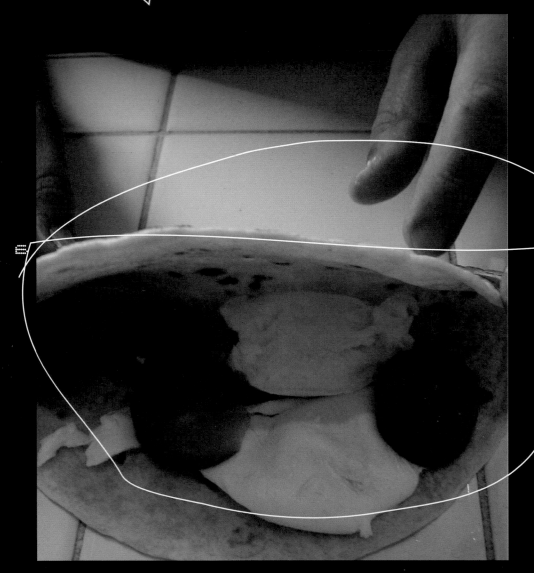

Je plie.

Ensuite, la mozza.

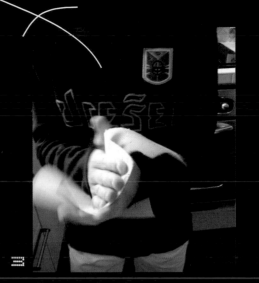

J'en ai plein les mains

Je remplis

Un pour toi, un pour moi.

Benzeeneez.

Magnifique !

Finalement j'avais assez faim...

œufs de pâques

Voici une activité saine et facile pour les petits loups au moment de Pâques. Votre seul vrai effort sera de trouver un moule à œufs chez un spécialiste ou un fournisseur pour professionnels.

Pour 4 moitiés d'œufs d'une dizaine de centimètres de haut
25 minutes de préparation
40 minutes de durcissement au réfrigérateur

1 casserole
1 saladier
1 moule à œufs

450 g de chocolat noir, au lait ou blanc
1 paquet de céréales pour le petit déjeuner
ou 2 paquets de crêpes dentelle écrasées

Faites fondre le chocolat au micro-ondes ou au bain-marie.

Mélangez le chocolat fondu avec les céréales ou les crêpes en morceaux jusqu'à ce qu'ils soient bien enrobés de chocolat.

Maintenant, vous avez le choix entre :

- remplir complètement les moules afin de fabriquer des demi-œufs solides ;

- enduire la surface des moules d'une couche de préparation pour obtenir des demi-œufs creux.

La première option est certainement la plus facile pour des enfants ; la seconde demande un peu de doigté. Il faut commencer par le centre du moule et rajouter du mélange en « construisant » les bords peu à peu. Ne tassez pas trop le mélange contre les parois du moule : vous perdriez l'aspect rugueux, si joli, de l'œuf.

Laissez refroidir et durcir au réfrigérateur pendant 40 minutes environ.

Tordez le moule comme un bac à glaçons pour détacher le demi-œuf et démoulez.

Décorez avec des rubans. Les enfants peuvent aussi emballer leurs chefs-d'œuvre dans du papier cellophane, fabriquer de jolies étiquettes et les offrir.

1 Noir, blanc, lait, à chacun son goût.

2 Je remplis...

3 ...encore...

4 ...et encore.

5 Il faut bien appuyer sur les bords du moule.

6 Et on laisse durcir. Trop dur d'attendre !

Les grenadins de veau de Jules

1

La mise en place est primordiale.
Dites-moi si vous ne suivez pas tout.

5

Il ne faut pas les quitter des yeux.

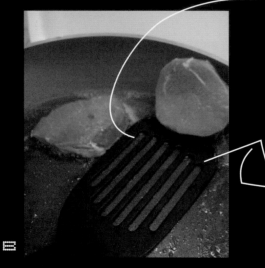

6

Je les saisis, je les retourne.

7

Et de deux.

9

Je débarrasse.

10

Après un déglaçage au jus de citron, je rajoute un peu de crème.

11

2

Votre piano est un peu haut.

3

Le beurre chante.

4

Je baisse le gaz.

5

Un peu de fleur de sel.

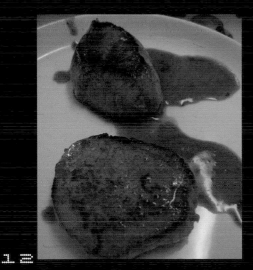

12

On devrait le prendre en photo
pour un livre de recettes.
Vous ne trouvez pas ?

Le gâteau au yaourt de Nicolas

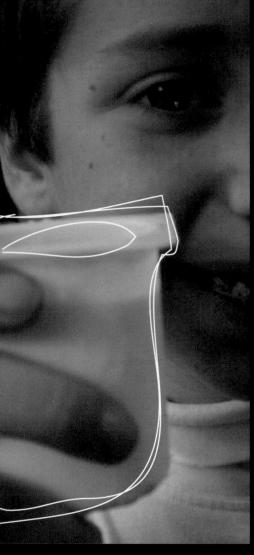

L'arme du crime.

On commence avec le yaourt...

Puis le sucre

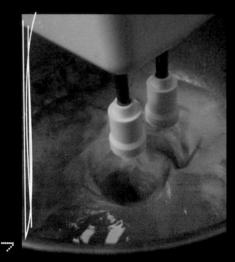

Il faut bien mélanger.

Mesurer la farine.

On verse (je peux goûter ?)
Pas une goutte de perdu

1 pot de yaourt nature
2 pots de yaourt remplis de sucre
3 pots de yaourt remplis de farine
1 sachet de sucre vanillé
1 sachet de levure chimique
quelques gouttes de citron
1 pincée de sel
3 œufs
125 g de beurre fondu

Videz le yaourt dans un bol.

Ajouter les deux pots de sucre, le sucre vanillé et la pincée de sel.

Battez pour bien mélanger.

Incorporez les œufs un à un en mélangeant bien.

Ajoutez la farine, la levure chimique et quelques gouttes de citron.

Enfin, ajoutez le beurre fondu.

Mélangez le tout et versez dans un moule à cake beurré.

Mettez au four à 180°C pendant 50 minutes.

Bon appétit !

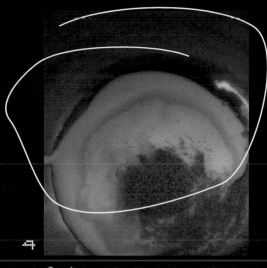
4

De la cassonade.

5

Un petit tour de batteur.

6

Quelques œufs.

9

Rajoutez le beurre fondu.

10

Bien beurrer et fariner le moule.

12

40 minutes plus tard.

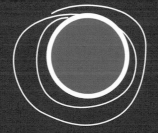

Ils ne sont pas faciles ?

Vous en connaissez sûrement autour de vous, de ces enfants qui ont goûté leur premier lièvre à la royale à trois ans et demi, décortiqué leur premier homard à quatre et avalé tout entier leur premier menu dégustation étoilé à cinq. Ou, ceux qui ne supportent la purée que si elle est préparée avec des vitelottes vintage, de la crème fraîche d'Isigny crue, du beurre de barrette bio, le tout parsemé de fleur de sel de l'île de Ré et de poivre de Sechuan. Dans un an ou deux, ils assureront et les courses, et la cuisine de leurs propres dîners gastronomiques. Ils veilleront eux-mêmes à la bonne proportion de protéines, de fibres, de sucres lents, de laitages, de fer et de vitamine B12.

Parfois, nous avons l'impression que seuls nos enfants ne sont pas de fins gourmets, qu'il n'y a que les nôtres qui sont si difficiles. Mais même s'ils sont capables de refuser des haricots verts parce qu'ils sont trop longs ou pas noyés dans le ketchup ; tout n'est jamais définitivement perdu. Voici quelques conseils tirés de l'expérience de ceux et de celles qui sont passés par là.

Tous les goûts sont dans mes enfants

N'incorporez pas à vos plats trop d'ingrédients qui ne se mangent pas. À utiliser avec modération donc :

L'investissement affectif.

Laissez les "pour dire je t'aime" aux animaux domestiques et trouver d'autres moments et gestes non-alimentaires pour exprimer votre tendresse.

La culpabilité.

« Je ne les ai pas vus de la journée, je ne vais quand même pas les gronder pour ça. » Vous êtes sur la pente glissante. Restez ferme.

La nostalgie mal placée.

« Mais mon chéri, moi j'adorais la cervelle de veau poêlée au persil, à l'ail et aux câpres quand j'étais petit. Tu sais, tu ne me fais vraiment pas plaisir. Quand je dirai ça à ta grand-mère… ».

La récompense-réconfort par la nourriture.

C'est une excellente technique pour dresser les otaries mais elle est totalement inefficace sur les enfants. Quarante ans plus tard, ils se jetteront sur un Mars dès qu'ils auront passé un mauvais quart d'heure au travail.

Votre régime.

Même si vous ne vous nourrissez que de purée d'avocat et de blanc de poulet, il faut offrir à vos enfants une cuisine « normale ».

Arrêtez d'avoir aussi peur que Virginia Woolf de vos « gens ».

Dites une bonne fois pour toutes à votre nounou que vous ne voulez plus du combo pâté de foie-frites-coca-chocolat liégeois en pot pour vos enfants, même s'ils adorent. Faites-lui un bon briefing sur la « positive attitude » à adopter devant les brocolis vapeur-filet de sole.

Commencez les repas par les légumes et insistez pour qu'ils mangent juste une toute petite cuiller du légume détesté.

Ça, c'est un truc génial – et pourtant si évident – que je tiens de ma belle-sœur. J'ai commencé par une feuille de salade. Maintenant deux sur les quatre en raffolent. On ne peut pas tout avoir…

Ne cumulez pas les nouveautés.

Essayez un seul nouveau goût ou un seul nouvel ingrédient à la fois et mélangez-le aux plats « qui passent ».

Jouez l'indifférence.

Ils ne se laissent pas mourir de faim.

Je sais, je sais, cela paraît horriblement démodé, voire cruel, dans ce monde où l'on se doit de toujours écouter, de dialoguer, de respecter, de laisser le libre choix à nos enfants, mais c'est cette méthode qui donne les résultats les plus spectaculaires (y compris sur les enfants Deseine) selon mon pédiatre adoré qui a 5 enfants de 5 à 25 ans.

Il faut que vos enfants soient « demandeurs » au moment des repas.

Il faut qu'ils aient faim ! Évitez les énormes goûters ou les petits déjeuners tardifs. Un quart de baguette et quelques carrés de chocolat, un yaourt et une pomme, un BN et un verre de lait, c'est suffisant.

Il faut aussi qu'ils aient envie de partager un agréable moment de détente. Pour les aider à associer plaisir et repas, emmenez-les au restaurant « des grands » le plus souvent possible. Commandez un plat très simple et un dessert. Pour une fois, laissez-les boire du coca mais insistez sur les bonnes manières.

Dédramatisez.

Assurez un bon « service minimum » de principes de base d'éducation et de nutrition. Vous verrez, tout rentrera dans l'ordre vers 8-10 ans – là, c'est l'expérience perso qui parle, et j'aurais vraiment aimé qu'on me le dise avant –.

Mini-poivrons farcis de riz au ketchup

Pour 4 personnes
5 minutes de préparation
25 minutes de cuisson, riz inclus

4 mini-poivrons
150 g de riz cuit
4 cuillers à café de ketchup

Préchauffez votre four à 180 °C.

Coupez un capuchon dans chaque poivron et videz l'intérieur.

Mélangez le riz au ketchup et farcissez-en les poivrons.

Faites rôtir 10 à 15 minutes au four.

Vous pouvez aussi faire gratiner le riz au four avec un peu de parmesan ou de gruyère.

En général, le riz au ketchup passe sans problème. Profitez-en pour essayer de leur faire manger le récipient.

J'ai vu beaucoup d'enfants amusés par les mini-légumes au point d'en goûter… D'ici à finir l'assiette, c'est une autre histoire.

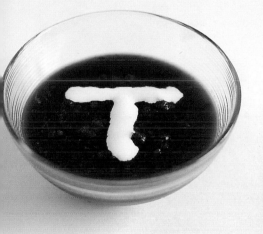

C'est un fait : si une soupe est susceptible de plaire aux enfants détestant les légumes, c'est bien la soupe au potiron. Comme la tomate et la carotte, elle les séduit par son goût très sucré. Profitez-en pour varier les garnitures.

Soupe au potiron

Pour 4 personnes
5 minutes de préparation
20 minutes de cuisson

750 g de potiron coupé en morceaux
20 cl de crème fleurette fraîche
sel, poivre

Faites cuire le potiron dans l'eau bouillante pendant
20 minutes environ. Lorsqu'il est très fondant, mixez-le avec
un peu d'eau de cuisson afin d'obtenir un velouté bien épais.

Ajoutez de la crème puis assaisonnez. Servez tel quel
ou avec du parmesan râpé, des croûtons à l'ail, du chorizo
ou du bacon grillé.

Soupe à la tomate

Pour 4 personnes
5 minutes de préparation
25 minutes de cuisson

1 kg de tomates bien mûres
2 oignons hachés
1 gousse d'ail
2 cuillers à soupe d'huile d'olive
sel, poivre
1 cuiller à café de sucre

Plongez les tomates 1 minute dans l'eau bouillante, ôtez leur
peau puis coupez-les en quartiers.

Dans une casserole, faites revenir les oignons et l'ail dans
l'huile d'olive et le sucre. Ajoutez les tomates, assaisonnez
légèrement et laissez mijoter 25 minutes environ.

Mixez la soupe. Servez-la chaude ou froide, additionnée
de toutes les choses que les petits loups voudront bien goûter.

Soupe de melon au lomo

Pour 4 personnes
10 minutes de préparation

2 melons charentais bien mûrs
1 quinzaine de tranches fines de lomo coupées en bouchées

Ôtez la chair des melons et mixez-la finement dans un robot.
Placez la soupe au réfrigérateur. Lorsqu'elle est très fraîche,
posez-y les tranches de lomo et servez.

Mange-tout aux cacahuètes

Comment ça, c'est vert sous les cacahuètes ?

Pour 4 personnes
3 minutes de cuisson

150 g de mange-tout
2 à 3 cuillers à soupe de cacahuètes grillées à sec

Faites cuire les mange-tout seulement quelques minutes
à la vapeur ou dans l'eau bouillante pour qu'ils restent bien
croquants. Écrasez les cacahuètes et parsemez les mange-
tout avant de servir.

Mini-pâtissons, beurre aux herbes

Peut-être un peu ambitieux, le vert sur vert des herbes
dans le beurre… Laissez-le nature pour les plus réticents.

Pour 4 personnes
5 minutes de préparation
3 à 5 minutes de cuisson

1 cuiller à soupe de ciboulette ou de cerfeuil haché
30 g de beurre salé
1 dizaine de mini-pâtissons
poivre

Mélangez les herbes au beurre puis gardez au frais.

Faites cuire les pâtissons à la vapeur ou plongés dans l'eau
bouillante pendant 3 à 5 minutes.

Faites fondre un peu de beurre dessus et servez avec le
sourire.

Légumes d'hiver rôtis au miel

Pour 4 personnes
5 minutes de préparation
20 à 25 minutes de cuisson

400 à 500 g de légumes d'hiver mélangés et taillés en petits cubes
(carotte, potiron, céleri-rave, panais, pomme de terre)
3 à 4 cuillers à soupe d'huile d'olive
2 cuillers à soupe de miel liquide
fleur de sel, poivre

Préchauffez le four à 180 °C.

Placez les légumes dans un plat ou sur une plaque allant
au four. Mélangez l'huile et le miel puis versez sur les légumes
en les tournant pour qu'ils soient bien enduits.

Faites rôtir et caraméliser en remuant de temps en temps.

Assaisonnez et servez.

Soupe crémeuse de saumon au maïs

Pour 4 personnes
5 minutes de préparation
5 minutes de cuisson

1 blanc de poireau coupé en rondelles
15 g de beurre
1 cuiller à soupe de farine
sel et poivre
300 g de filet de saumon bio coupé
en petits cubes
1 boîte moyenne de maïs en grains
15 cl de crème fleurette fraîche

Dans une casserole, faites revenir
le poireau dans le beurre fondu.
Ajoutez la farine et cuisez
pendant 1 minute.
Ajoutez environ 50 centilitres
d'eau et portez à ébullition.
Salez et poivrez.

Plongez les cubes de saumon
en même temps que le maïs
et cuisez quelques minutes.

Ajoutez la crème, remuez et servez.

Canard aux cerises (fruits = légumes)

Pour 4 personnes
10 minutes de cuisson

2 cuillers à soupe d'huile d'olive
8 aiguillettes de canard
500 g de cerises burlat
fleur de sel, poivre

Faites chauffer l'huile dans une poêle et faites-y revenir
les aiguillettes. Lorsqu'elles sont saisies des deux côtés,
baissez un peu le feu et mettez les cerises dans la poêle.
Faites cuire doucement le tout pendant 5 minutes de plus
en remuant pour que le canard se mêle au jus de cuisson
des cerises. Assaisonnez et servez immédiatement.

Blé cuit à la fleur de sel, bon poivre frais et vieux parmesan

Un truc découvert par un papa qui avait du mal
à faire avaler autre chose que des pâtes
à ses enfants pour le dîner. Il ne leur a toujours pas dit
qu'il s'agissait de blé mais il a au moins fait avancer
les choses en ne noyant pas le plat dans le ketchup
ou le pseudo-gruyère râpé au caoutchouc.

Pour 4 personnes
5 minutes de cuisson

1 sachet de blé cuit surgelé de chez Picard ou 4 portions de blé
cuites selon les indications figurant sur l'emballage
fleur de sel, poivre noir du moulin
du bon vieux parmesan râpé

Assaisonnez les « pâtes » de fleur de sel, de poivre noir
fraîchement moulu et de parmesan fraîchement râpé.

Lasagnes de crabe au beurre et agrumes

Pour 4 personnes
10 minutes de préparation
15 minutes de cuisson

250 g de chair de crabe frais si possible ou sous-vide, disponible au rayon saumon fumé
les quartiers de 2 oranges et 1 pamplemousse coupés en morceaux
8 morceaux de pâte à lasagne
1 échalote hachée très finement
75 g de beurre salé
le jus d'1 orange
poivre

Mélangez le crabe aux quartiers d'orange et de pamplemousse. Réservez.

Faites cuire les lasagnes al dente dans l'eau bouillante salée.

Dans une casserole, faites revenir l'échalote dans 10 grammes de beurre sans la colorer.

Lorsqu'elle est bien fondante, ajoutez le jus d'orange et faites réduire un peu. Dans ce mélange un peu sirupeux, ajoutez le reste du beurre, petit morceau par petit morceau, avec un fouet pour monter légèrement la sauce.

Placez les fruits et le crabe dans la sauce, ajoutez du poivre puis faites chauffer tout doucement.

Égouttez les lasagnes, posez-en 4 dans 4 assiettes.
Posez 1 cuiller à soupe de mélange au crabe sur chacune d'elles. Placez l'autre lasagne sur le dessus et coiffez du reste de crabe en sauce.

Tarte à la sardine

Pour 4 personnes
3 minutes de préparation
20 minutes de cuisson

4 morceaux de pâte feuilletée toute prête
2 cuillers à soupe de confit de tomate séchée
2 tomates coupées en tranches fines
2 boîtes de sardines à l'huile

Préchauffez le four à 180 °C.

Posez les carrés de pâte sur une plaque allant au four beurrée. Tartinez la base de confit de tomate, posez quelques tranches de tomates puis les sardines. Faites cuire au four 15 à 20 minutes.

Omelette multicolore

Je lis souvent que les enfants adorent la couleur et qu'il faut en profiter pour leur faire manger des légumes. Bien que très jolie, chez moi, c'est tout de même maman et papa qui finissent l'omelette à chaque fois. Dites-moi si ça marche mieux pour vous.

Pour 6 personnes
10 minutes de préparation
10 à 15 minutes de cuisson

1 poivron jaune coupé en fines lamelles
1 poivron orange ou rouge coupé en fines lamelles
2 cuillers à soupe d'huile d'olive
12 œufs
20 cl de lait entier
50 g de parmesan râpé
1 carotte épluchée puis coupée en très fines lamelles à l'aide d'un économe
sel, poivre

Dans une poêle, faites revenir les poivrons 5 minutes dans l'huile d'olive chaude.

Battez ensemble les œufs et le lait puis rajoutez le parmesan râpé. Ajoutez les lamelles de carottes, un peu de sel et de poivre puis versez dans la poêle avec les poivrons. Faites cuire tout doucement 10 à 15 minutes.

Avant de servir, passez la poêle sous le gril pour dorer le dessus de l'omelette.

Mes enfants adorent les moules.
Moi, j'adore qu'ils les adorent : comme
ce plat leur demande de la concentration
et du temps de rangement lorsqu'ils le
dégustent, il assure une paix royale au
restaurant, sans parler du regard
admiratif des voisins. Si, en plus,
les moules ont eu la bonne idée
de prendre des bébés crabes en stop,
je peux compter sur le double de temps
grâce aux expériences hautement
scientifiques de quatre Dr Frankenstein
en herbe !
Si vous pouviez les voir avec
des langoustines...

Moules au coco

Pour 4 personnes
20 minutes de préparation
10 minutes de cuisson

2 échalotes finement hachées
1 noix de beurre
1 kg de moules nettoyées
1 verre de vin blanc sec
1 boîte de lait de noix de coco

Faites revenir les échalotes dans le beurre sans les colorer. Versez les moules puis le vin et faites cuire à feu vif pendant 5 minutes environ.

Remuez bien les moules, versez le lait de coco et remuez à nouveau. Servez lorsque le liquide est bien chaud.

Mini-plateau de fromages

Profitez à nouveau des innovations des hommes
de marketing pour présenter un mini-plateau comme
celui des grands. Vous aurez beaucoup plus de chances
de voir vos petits essayer plusieurs fromages.

Index des recettes

Remerciements

Shopping & Art de la table : Pauline Ricard-André

Assiettes en carton

Couverts

Ikéa – p31, p52, p73.
Surplus Doursoux – p41.

Assiettes, plats et casseroles

Bodum – p8, p10, p21, p24, p27, p31, p35, p37, p39, p43, p57, p58, p71, p76, p78.
Surplus Doursoux – p41, p124, p125, p126, p129, p130.
Ikéa – p10, p12, p52, p59, p70, p79, p82, p85, p87, p108, p138, p174, p175, p179.
Luminarc – p17, p53, p184, p187.

Bols et coupes & verrerie

Bodum – p4, p18, p143, p178.
Luminarc – p21, p23, p55, p56, p78, p175.
Ikéa – p48, p58, p73, p74, p77, p107, p143.

Nappes, tissus, sets de tables et accessoires

Antoine & Lili – p24, p27, p33, p35.
Périgot – p135, p141.

Plateaux

Ikéa – p25, p61, p99, p101.

Carnet

Antoine & Lili	95, quai de Valmy 75010 Paris	Tél. 01 40 37 58 14
Bodum	103, rue Rambuteau 75001 Paris	Tél. 01 42 33 01 68
Ikéa	Points de vente : www.ikea.fr	Tél. 08 25 379 379
La Piñata	25, rue des Vinaigriers 75010 Paris	Tél. 01 40 35 01 45
Luminarc	(en vente dans les grands magasins et les magasins spécialisés)	Tél. 08 10 81 07 59
Périgot	16, rue des Capucines 75009 Paris	Tél. 01 53 40 98 98
Surplus Doursoux	3, passage Alexandre 75015 Paris	Tél. 01 43 27 00 97

Pour l'équipement de décorations de gâteaux
www.wilton.com

Kooks Unlimited
16 Eton Street
Richmond
Surrey
TW9 1EE
Tel + 44 208 332 3030

Merci à :

- Sylvain pour sa patience d'ange
- toute l'équipe Marabout
- Dr Gilles Valleur
- Fiona pour ses conseils précieux
- Jacqueline, nounou de choc et tellement plus encore
- Arthur, Zoé, Jules A, Philippine, Colette, Maxence, Octave, Elliott, Emile, Axel, Hugo, Pauline, Clément, Nicolas B, Jules C , Adèle, Nicolas P, Cécilia, Alice, Marie-Charlotte, Perrine, Erin, Margo, ML, Odile, Pierre Louis, Nathalie, Virginie, Thierry, Patrick et Marie pour leur participation dans la joie et la bonne humeur.

Txx

Direction : Elisabeth Darets | Direction artistique et édition : Emmanuel Le Vallois | Graphisme : Nathalie Delhaye | Fabrication : Laurence Ledru

Lecture, correction : Antoine Pinchot.

ISBN : 250104178X
Dépôt légal : 43801 - Avril 2004 40.0794.4/01 / Edition 01
Imprimé en Italie par Rotolito Lombarda